Os Homens de Barro

Ariano Suassuna

Os Homens de Barro

Prefácio

Luís Reis

Ilustrações

Manuel Dantas Suassuna

Edição V

♄

Copyright © 2023 Ilumiara Ariano Suassuna
Copyright das ilustrações © 2023 Manuel Dantas Suassuna

Direitos de edição da obra em língua portuguesa adquiridos pela Editora Nova Fronteira Participações S.A. Todos os direitos reservados. Nenhuma parte desta obra pode ser apropriada e estocada em sistema de banco de dados ou processo similar, em qualquer forma ou meio, seja eletrônico, de fotocópia, gravação etc., sem a permissão do detentor do copirraite.

Editora Nova Fronteira Participações S.A.
Av. Rio Branco, 115 — Salas 1201 a 1205 — Centro — 20040-004
Rio de Janeiro — RJ — Brasil
Tel.: (21) 3882-8200

Ilustração de capa: Manuel Dantas Suassuna

Dados Internacionais de Catalogação na Publicação (CIP)

S939h   Suassuna, Ariano, 1927-2014

    Os Homens de Barro/Ariano Suassuna; ilustrações por Manuel Dantas Suassuna; prefácio de Luís Reis. – 5.ª ed – Rio de Janeiro: Nova Fronteira, 2023.
    136p.; 13,5 x 20,8 cm

    ISBN: 978-65-5640-464-6

    1.Literatura brasileira. I. Suassuna, Manuel Dantas. II. Título.

CDD: B869
CDU: 821.134.3(81)

André Queiroz – CRB-4/2242

Conheça outros livros do autor:

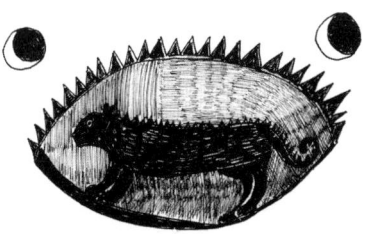

Esta peça é dedicada à memória de meu Pai, João Urbano Pessoa de Vasconcellos Suassuna, de minha Mãe, Rita de Cássia Dantas Villar, e de todos os meus Tios, nas pessoas de Joaquim Duarte Dantas, Manuel Dantas Villar, Maria das Neves Villar Dantas e Adálida Suassuna de Arruda Barreto.

Dedico-a, ainda, a três dos meus amigos: Ana Canen, José Laurenio de Melo e Luiz Fernando Carvalho.

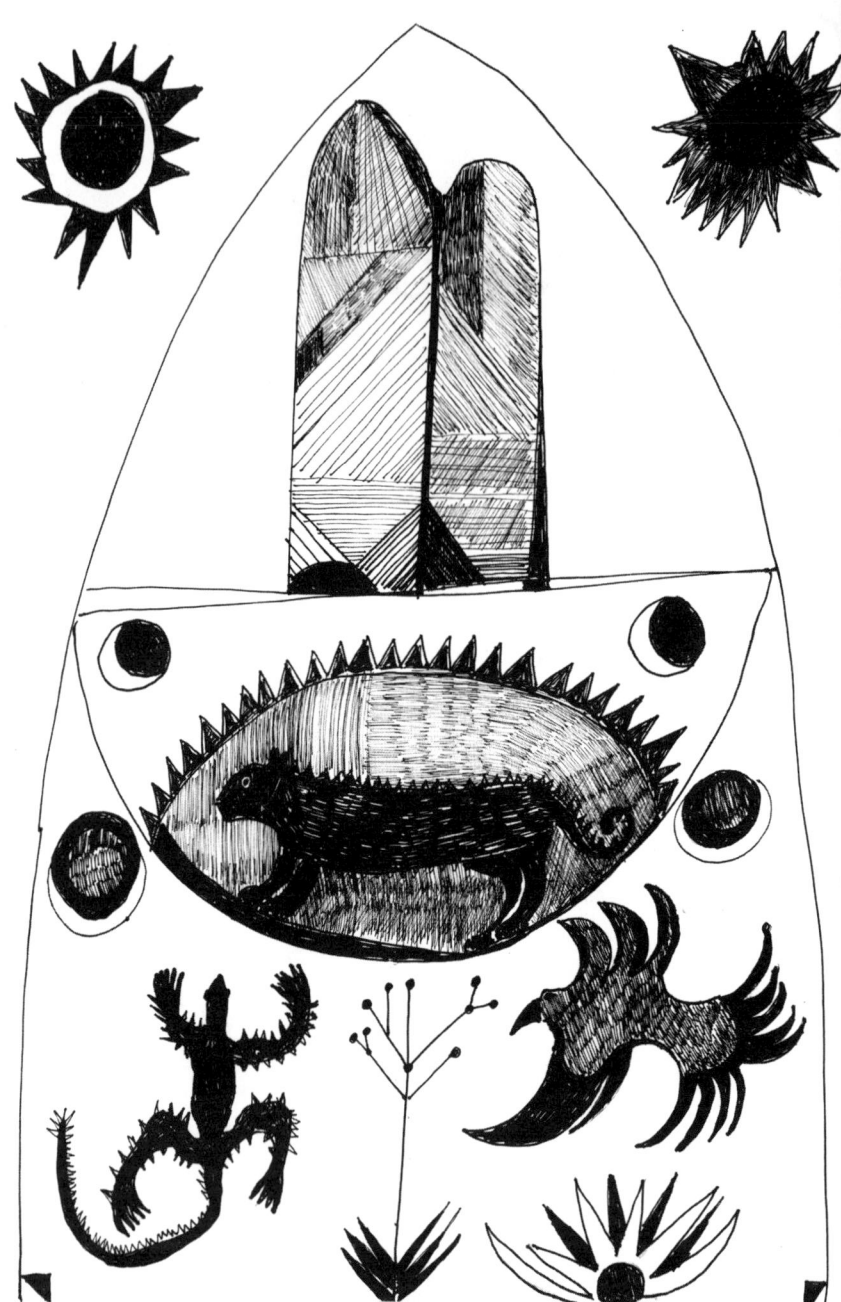

Sumário

A Tragédia do Fanatismo   9

Os Homens de Barro   19

Nota Biobibliográfica   127

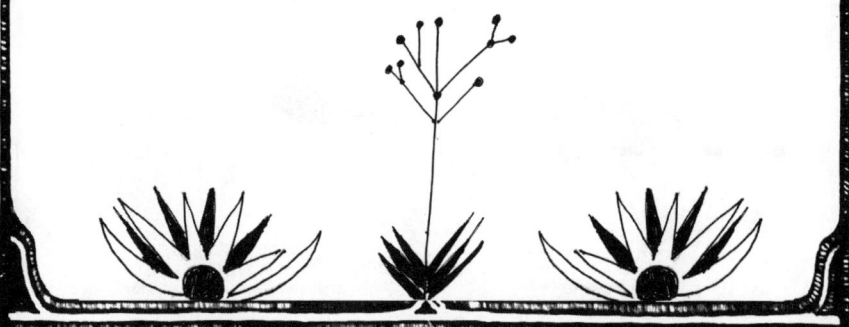

A Tragédia do Fanatismo
Luís Reis[1]

Na época em que Ariano Suassuna escreveu *Os Homens de Barro*, ao final da década de 1940, tudo o que um dramaturgo jovem e inteligente queria era se manter bem distante dos gêneros cômicos. Ser moderno, então, era ser sério e profundo; se possível, trágico. Tal posicionamento era uma reação ao predomínio, nos palcos brasileiros, de peças cuja primordial motivação era apenas divertir as plateias, de preferência provocando gargalhada atrás de gargalhada. Dependentes da bilheteria, os empresários teatrais não tinham muita disposição para correr riscos. Isso, naturalmente, favorecia a proliferação de espetáculos previsíveis, sem maiores ambições poéticas — ou políticas. Assim, nas primeiras décadas do século 20, o fazer teatral brasileiro, em geral, não se mostrava receptivo às inovações que já afetavam a literatura, a música e as artes visuais. Não por acaso, o teatro fica de fora da programação da Semana de Arte Moderna, em 1922. Os ímpetos de renovação da cena nacional só ganham realmente força mais ou menos duas décadas depois, graças, sobretudo, ao esforço de grupos amadores, quase sempre formados por jovens universitários,

---

[1] Professor e pesquisador vinculado ao Curso de Teatro/Licenciatura, da Universidade Federal de Pernambuco.

como, por exemplo, o Teatro do Estudante de Pernambuco (TEP), conjunto que tinha Ariano Suassuna como um dos seus mais destacados integrantes.

Liderado por Hermilo Borba Filho, o TEP teve um papel de especial relevância na configuração do teatro moderno no Brasil. Ecoando os ideais do Regionalismo de Gilberto Freyre, os estudantes pernambucanos preconizavam uma dramaturgia que, embora influenciada pelos grandes renovadores dos palcos da Europa e dos Estados Unidos, priorizasse a valorização da cor local, trabalhando com temáticas e com formas colhidas da tradição cultural do Nordeste, na riqueza de seu imaginário, de sua história e de sua poesia. Portanto, na segunda metade dos anos de 1940, os dramaturgos ligados ao TEP encararam com entusiasmo o desafio de criar tragédias nordestinas. *Os Homens de Barro*, concebida em 1949, é um dos mais expressivos exemplares dessa safra. Antes dela, Ariano escrevera duas outras: *Uma Mulher Vestida de Sol*, em 1947, vencedora do Concurso de Peças instituído pelo TEP, com o apoio de Paschoal Carlos Magno, fundador do Teatro do Estudante do Brasil, do Rio de Janeiro; e *O Desertor de Princesa*, em 1948, obra encenada pelo TEP, na inauguração do seu palco ao ar livre, batizado como "Barraca", em homenagem ao "La Barraca", teatro ambulante idealizado por Federico García Lorca na Espanha dos anos 1930.

Eram anos de aprendizado para aquele jovem paraibano, radicado no Recife, estudante de Direito. Cheio de curiosidade intelectual e de sensibilidade artística, Ariano, que já chamava a atenção como poeta, confirmava a cada nova peça a sua rara aptidão para a dramaturgia. Depois de *Os Homens de Barro*, ele ainda escreve mais duas peças sérias de grande fôlego: *Auto de João da Cruz*, de 1950, vencedora de um concurso promovido pela Secretaria de Educação e Cultura de Pernambuco; e *O Arco Desolado*, em 1952, inspirada na lenda dramatizada por Calderón de La Barca em *A Vida é Sonho*. Contudo, a essa altura, as possibilidades do cômico no teatro já haviam sido descobertas por Ariano, pois é de 1951 o entremez *Torturas de um Coração*, sua primeira peça voltada para o riso. Daí a quatro anos, e depois de mais dois entremezes (*O Castigo da Soberba*, de 1953, e *O Rico Avarento*, de 1954), ele escreve a sua obra-prima, *Auto da Compadecida*, texto que o projeta nacional e internacionalmente, fazendo-o ser reconhecido como um dos mais importantes autores do teatro brasileiro. Em seguida, vieram outras comédias, também de enorme qualidade, como *O Santo e a Porca*, em 1957, *A Pena e a Lei*, em 1959, e *Farsa da Boa Preguiça*, em 1960. Não demora muito tempo para que o merecido sucesso de Ariano como comediógrafo termine por ofuscar o seu admirável trabalho como tragediógrafo. Entretanto, a importância desse dramaturgo não pode ser verdadeiramente compreendida sem que se dê às suas peças sérias uma atenção equivalente à que se costuma dar às suas peças engraçadas.

Desde a Grécia Clássica, coube à tragédia a primordial missão de aprofundar poeticamente as grandes indagações humanas, suscitando obras de interesse atemporal e universal, ao passo que as comédias procuravam, antes de tudo, expor e criticar as contradições de uma determinada sociedade num determinado momento histórico. Porém, na mão dos grandes autores de teatro, sobretudo depois do Renascimento, essas especificidades de conteúdo da tragédia e da comédia nem sempre serão confirmadas. Muitas vezes, esses criadores, como o faz Ariano, vão deliberadamente nos apresentar comédias com indiscutível teor filosófico e tragédias que retratam muito bem os problemas pertencentes a um tempo e a um lugar. Assim como o *Auto da Compadecida*, em meio a diálogos ágeis e divertidos, nos surpreende com tocantes reflexões sobre a condição humana, *Os Homens de Barro*, sem abdicar do caráter transcendental predominante nas tragédias, não se furta de trazer à cena, ainda que em segundo plano, uma crítica incisiva às injustiças sociais, tão evidentes no Sertão Nordestino, mostrando como os poderosos agem para desarticular movimentações coletivas potencialmente ameaçadoras ao poder estabelecido. O sofrimento de Elias, protagonista dessa trama, como também o de seus filhos e o de seus companheiros, não é resultado de imponderáveis armadilhas do destino, de inescapáveis desígnios dos deuses, como era comum nas tragédias gregas. Em *Os Homens de Barro*, a dor e a morte resultam de uma intrincada sobreposição de fatores psicológicos e de fatores socioeconômicos. Marcados pelo desamparo e pelo desamor, os personagens se abrigam no fanatismo religioso, elemento estruturante da peça.

Igualmente, no âmbito da chamada "carpintaria teatral", isto é, no que tange às soluções encontradas para garantir um fluido desenrolar da ação dramática, Ariano também demonstra muita segurança autoral, redesenhando nas tragédias recursos que aparecem com maior frequência em comédias, e vice-versa. Por exemplo, em *Os Homens de Barro*, personagens se esconderão no cenário para ouvir conversas, tendo acesso, desse modo, a segredos perturbadores, que determinarão o desenlace da trama. Tal mecanismo, em geral de grande potencial cômico, aqui, ao contrário, opera como um eficiente meio para derramar o sofrimento sobre os espectadores. Já no *Auto da Compadecida*, Ariano brinca com uma conhecida característica da tragédia clássica: a recomendação de que o autor evite mostrar à plateia cenas de morte, a fim de causar mais impacto emotivo e de prevenir qualquer possibilidade de intrusão cômica suscitada pela difícil representação de um corpo caindo sem vida. No *Auto da Compadecida*, porém, a saída de cena em sequência de diversos personagens para serem fuzilados acentua o absurdo da situação e prontamente convoca o riso.

Seguindo esse raciocínio, é importante considerar um outro aspecto, decerto um dos traços mais marcantes do teatro produzido por esse autor, notável tanto nas tragédias quanto nas comédias: o modo original e profundo como ele trata a questão da religiosidade. Nesse viés, *Os Homens de Barro* assume destacada relevância no conjunto da dramaturgia de Ariano, pois talvez seja a peça por meio da qual ele mais diretamente leva ao palco a sua convicção sobre o peso da religião na constituição do ser humano. Relevante mencionar que no período em que escreveu essa tragédia, Ariano, educado no protestantismo, começava a abraçar a fé católica, historicamente sempre muito atenta à força das artes, da beleza e da emoção, na experiência do sagrado e do mistério. Cada vez mais, e de modo cada vez mais genuíno, devoção e criação artística serão pulsões correlatas para Ariano.

Repleta de citações bíblicas, *Os Homens de Barro* é uma reinvenção da história de Caim e Abel, mas situada no Sertão de Pernambuco, precisamente no lugar mais significativo — quase sagrado — para toda a arte criada por Ariano: a Ilumiara Pedra do Reino, no Município de São José do Belmonte, a quase 500 km do Recife. Esse espaço, espécie de parque-monumento, foi idealizado pelo próprio Ariano, na segunda metade da década de 1990, quando exerceu o cargo de Secretário de Cultura do Estado de Pernambuco. Para lá, foram encomendadas uma série de esculturas em granito, com destaque para a *Sagrada Família*, do artista Arnaldo Barbosa, erguidas próximas aos famosos lajedos da Pedra do Reino, onde em 1838 ocorreu um sangrento episódio causado pelo fanatismo religioso, de inspiração sebastianista, que resultou no sacrifício de dezenas de pessoas. Nas didascálias iniciais, o leitor fica sabendo que é justamente esse o cenário onde se passa toda a ação da peça. Ação que evolui num fluxo contínuo de tempo, enfocando apenas um único conflito. Ou seja, trata-se de um texto teatral escrito conforme o ideal dramático das três unidades — de lugar, de tempo e de ação —, que há séculos, ora como recomendação ora como imposição, desafia os dramaturgos, especialmente os que se propõem a escrever tragédias.

Nessa obra, realizada por um autor muito ciente de todas as possibilidades dramatúrgicas validadas pela cena moderna, tão refratária a regras restritivas, tal adesão à progressão dramática calcada na unidade de lugar, de tempo e de ação deve ser vista, antes de tudo, como uma escolha, talvez evidenciando o desejo de se alinhar a toda uma tradição milenar de criação teatral — ainda que esse alinhamento seja provisório e parcial, uma vez que a peça jamais omite a sua identidade essencialmente moderna, muito clara, por exemplo, na opção de trazer os componentes do coro vestidos como brincantes do auto de guerreiros, manifestação dramática popular nordestina, em geral apresentada no ciclo das comemorações natalinas. Se o coro, de certo modo, sempre foi um elemento anti-ilusionista na cena, propiciando uma interrupção épica no encadeamento dramático, ele aqui vai além, operando por contraste: o colorido exuberante dos típicos figurinos do auto de guerreiros em oposição ao cinza do granito predominante no cenário e à sobriedade monocromática das vestimentas dos devotos sertanejos, personagens da tragédia, parece lembrar ao leitor, ou ao espectador, que a arte nunca é propriamente uma imitação da vida, mas sim uma tentativa de expandir o nosso olhar sobre a vida.

Por todos esses aspectos, *Os Homens de Barro* é uma obra que precisa ser lida e debatida, não somente por estudiosos do teatro, mas por um público amplo, reconhecedor da beleza e da inteligência. Afinal, nestes tempos de hoje, tão marcados por diversos tipos de radicalismos, a atualidade dessa peça se revela tanto pela sua sofisticação formal quanto pela relevância perene do seu conteúdo, ao anunciar, alegoricamente, que todo fanatismo pode levar ao fratricídio.

"Formou, pois, o Senhor Deus ao homem do barro da terra e inspirou no seu rosto o hálito da vida... E sucedeu que, estando ambos no campo, levantou-se Caim contra seu irmão Abel e matou-o."
Gênesis, 2.7, 4.8

"É, porventura, a minha força a força da pedra?"
Job, 6,16

"Nossa alma é um Castelo de puríssimo cristal e Deus diz que nele tem suas deleitações."
Santa Teresa

"Tenha pena, grande Comandante, dos homens de barro!"
William Shakespeare

"Nada queriam desta vida. Por isto, a propriedade tornou-se-lhes uma forma exagerada do coletivismo tribal dos beduínos... Voluntários da miséria e da dor eram venturosos na medida das provações sofridas... (O Profeta) consentia de boa feição que errassem, mas que todas as impurezas e todas as escorralhas de uma vida infame, saíssem, afinal, gota a gota, nas lágrimas vertidas."
Euclydes da Cunha

"Além do fanatismo religioso, transparecia também, entre aqueles fanáticos (da Pedra do Reino) um como quê pensamento socialista."

Pereira da Costa

"Mutilado, mas quanto movimento em mim procura ordem! O que perdi se multiplica e uma pobreza feita de pérolas salva o tempo, resgata a noite."

Carlos Drummond de Andrade

"Não direi de Joana Temerária sequer as culpas mínimas e os padecimentos menores... O mangue fedia a um mar afogado e os homens eram feras castigadas."

José Laurenio de Melo

Os Homens de Barro

Personagens

Elias — *o Pai*

Adauto — *o primeiro Filho*

Abel — *o segundo Filho*

Ezequiel — *o Velho*

Bento — *o Doido*

Joana — *a Temerária*

Cícero — *o Profeta*

Coro

Nota

Os figurantes do Coro, que se vestem como brincantes do *Auto de Guerreiros*, ora cantam, ora tocam, ora recitam, tendo Cícero como Corifeu.

Cenário

A ação decorre no conjunto de lajedos da Pedra do Reino, principalmente diante das esculturas da *Sagrada Família,* esculpidas por Arnaldo Barbosa, com o *Cristo Rei* ao centro, ladeado pelo *São José* e pela *Nossa Senhora.*

Perto delas, um bloco de granito, no qual se imagina que Elias, com a ajuda de seus filhos Adauto e Abel, está esculpindo parte do Anjo que ele viu um dia.

Quando começa a ação, ABEL, ADAUTO, BENTO e EZEQUIEL estão ajoelhados, os homens com rifles encruzados às costas. ELIAS está de pé, com uma grande Bíblia na mão. Tem barba e veste-se como um Beato sertanejo. Os outros, de calça escura e camisa branca. Mas JOANA — que, no primeiro momento, não está em cena — usa uma espécie de samarra vermelha, adornada por um grande Crescente amarelo. Mas tudo isto são apenas sugestões, que podem ser seguidas ou não.

ELIAS

(*Lendo.*) "Bem-aventurado o homem a quem Deus corrige. Não desprezes, pois, a correção do Senhor, porque Ele fere e cura com o golpe de suas mãos. Em seis tribulações, Ele te livrará, e à sétima, o mal não te tocará. No tempo da fome, Ele te salvará da morte, e, no tempo da guerra, do poder da Espada. Estarás seguro ante o açoite da língua dos maldizentes e não temerás a calamidade quando chegar. Na fome e na desolação tu te rirás, e não temerás as feras da terra. Entrarás em harmonia até com as pedras do campo e as feras da terra, que te serão pacíficas."

"O que tens ouvido, medita-o no teu entendimento. Em nome do Pai, do Filho e do Espírito Santo."

TODOS

Amém!

ELIAS

Ouviram? Entenderam? Deus não permitirá que sejamos esmagados! Quantas caixas de balas temos?

ADAUTO

Dezoito, meu Pai!

ELIAS

São suficientes e vão nos bastar. A estrada que sobe a Serra é estreita: assim, pode vir a Polícia inteira, os Soldados vão morrer de um em um. Não estamos fazendo mal a ninguém, portanto, a responsabilidade das mortes é deles. E o nosso pessoal?

ADAUTO

Foi dividido em duas metades. Uma, está emboscada, esperando a Polícia. A outra está tomando conta das Cabras e dos roçados!

ELIAS

E aqui nas pedras, quem trabalha hoje?

ADAUTO

Eu.

ABEL

Preciso ver como estão as Cabras. E tenho que trazer um Cabrito vermelho para o senhor matar, a carne já está no fim.

ELIAS

Está bem. Mas tome cuidado. A Polícia está de olho aberto em cima de nós. Mas Deus há de mostrar a eles de que lado está. Pode ir. (*ABEL ajoelha-se na frente dele.*) Deus o abençoe, não demore.

Sai ABEL.

ADAUTO

    Cícero vem subindo a ladeira, pela estrada!

EZEQUIEL

    Como foi que ele passou pela Polícia? Estará do outro lado?

ELIAS

    Não, conheço Cícero, ele nunca nos trairia! E vem com a Cruz na mão!

EZEQUIEL

    Vêm outras pessoas com ele, é melhor atirar!

ELIAS

    Quem manda aqui sou eu, e o que disse está dito! Ninguém atira em Cícero sem minha ordem!

Entra CÍCERO, com os figurantes do CORO.

CÍCERO

    Elias, meu irmão, eu vim para salvá-lo!

ELIAS

    Só quem pode me salvar é Deus!

CÍCERO

Sim, depois de sua morte! Mas foi dela que eu vim salvar você. São muitos os Soldados que estão lá fora. Falei com o Tenente, e ele disse que, se você desocupar a Serra e acabar com o Arraial, ele garante a vida de todo mundo!

ELIAS

Acabar com o Arraial? Por quê?

CÍCERO

Estão dizendo que você ameaça todos os fazendeiros daqui!

ELIAS

Eu não ameaço ninguém, não faço mal a ninguém! Trabalho aqui, com as pedras, pagando a promessa que fiz para expiar nossos pecados! Lá embaixo, para sustentar-nos, estão as Cabras e os roçados. Dos meus filhos, Adauto é responsável pelos roçados e Abel pelas Cabras. Mas o trabalho principal deles é aqui, comigo, também trabalhando as pedras! Comecei pela Sagrada Família. Mas depois, um dia, sonhei com um Anjo, e é nele que estamos começando a trabalhar. É um trabalho que nos purifica a todos, e aqui não há pecado: nós vamos acabando o nosso com a pedra e pelo fogo de Deus! Ninguém peca aqui!

CÍCERO

Quanto a mim, sou menos orgulhoso, não exijo pureza de ninguém. Acho que "a extrema dor é a extrema-unção, e o sofrimento duro é a absolvição plenária". Por isso, "consinto de bom grado que os homens pequem, contanto que todas as impurezas de sua vida infame escorram, gota a gota, através das lágrimas vertidas".

ELIAS

Quando vim para cá, ninguém queria nada com esta Serra, por causa das Pedras e do sangue que correu aqui há mais de um século! Agora, de repente, os ricos descobrem que a terra presta, é? Eu sei o que está acontecendo, Cícero: é que aqui a terra, as Cabras e os roçados pertencem a todos! "Tudo entre nós é comum e cada um recebe de acordo com sua necessidade!" Muita gente da redondeza está trocando as Fazendas de lá pela Pedra do Reino! É por isso que os ricos dizem que eu sou uma ameaça para eles. Que ameaça pode haver em pessoas que vivem aqui uma vida pura, tentando pagar os pecados de todos?

CÍCERO

Acontece que começaram a aparecer outras histórias sobre vocês!

ELIAS

Histórias? Que histórias?

CÍCERO

    Estão falando de um amor criminoso, aqui.

ELIAS

    Essa história só pode ter sido espalhada pelo Padre!

CÍCERO

    Que Padre? O de Belmonte?

ELIAS

    Não, o de Belmonte é um homem honrado. Falo daquele que desonrou a Moça e me mostrou, de vez, quanto valiam todos os Padres!

CÍCERO

    Volte comigo, Elias: posso salvar todos, se você se entregar agora.

ELIAS

    Minha resposta é não, vá embora! Diga ao Tenente que Deus está do nosso lado, e que, se ele quiser ver os ossos dos Soldados no sol, venha. Quanto a essas histórias que o Padre inventou, são como as dos ricos: o Padre está vendo que as pessoas do Povo levam mais fé em mim do que nele! Sabe por que, Cícero? Porque aqui nós vivemos uma vida pura. Nem eu nem meus filhos tocamos em mulher! Assim, volte e diga ao Tenente que eu não preciso inventar mentiras sobre um homem, para ter coragem de enfrentá-lo!

CÍCERO

Ouça o que estou lhe dizendo, homem! Eu não acredito em nenhuma dessas histórias, mas você sabe como é o pessoal da rua: o Povo continua a achar que você é um Santo; mas os outros acreditam no crime e no pecado. Principalmente por causa de todas as mortes que aconteceram nestas Pedras!

ELIAS

E o pessoal da Cavalgada?

CÍCERO

Está dividido. Os do Cordão Encarnado estão com vocês, os do Azul, do outro lado. Os músicos que vieram comigo pensam como eu.

ELIAS

Daqui não arredo meus pés, custe o que custar! E agora, pode voltar ao Tenente para dar meu recado!

CÍCERO

Não, Elias! Como você, sou homem de religião; e, se você fica, eu fico também! (*Para o CORO.*) Vocês, se quiserem, podem voltar!

COREUTA

Não, se nosso Mestre fica, nós ficamos também!

CÍCERO

Vocês querem ficar mesmo? Lembrem-se de que não admito armas! As nossas, são esta Cruz e os instrumentos que vocês tocam!

CORELITA

Ainda assim, nós ficamos!

CÍCERO

Pois, então, que Deus abençoe vocês. E vamos rezar, porque, pelo que vi, o tiroteio começa assim que o Sol se esconder!

O Coro se dispõe em cena, com Cícero à frente, como Corifeu. Os Músicos tocam para acompanhá-lo.

CÍCERO

(*Recitando.*) "Não é tua confiança o temor de Deus, e tua conduta perfeita não é tua esperança? Onde já se viu que justos fossem exterminados? Aqueles que cultivam a iniquidade, aqueles que semeiam a miséria e a injustiça, estes é que são castigados."

CORELITA

(*Recitando.*) "Ao sopro de Deus perecem, são consumidos pelo sopro de sua cólera! Serão quebrados o rugido do Leão e a voz do Leopardo. Morre o Leão por falta de presa e as crias das Leoas se dispersam."

CÍCERO

(*Recitando.*) "Quanto a ti, farás aliança com estas Pedras, e as Bestas selvagens estarão em paz contigo. Visitarás teu rebanho de Cabras, e nada te faltará. Conhecerás uma descendência numerosa, e baixarás à terra como um feixe de trigo recolhido a seu tempo. Foi isto o que entendi da vida. Portanto, escuta e aproveita minhas palavras, pois está chegando o tempo da tua provação."

Saem todos, com exceção de ADAUTO, EZEQUIEL, CÍCERO e o CORO. Enquanto CÍCERO pronuncia a fala final, ADAUTO, que empunhara o martelo e o cinzel, começa a trabalhar na pedra, como se pusesse todas as suas forças no que faz. EZEQUIEL observa-o com expressão escarninha. De repente, ADAUTO se interrompe e passa a mão na testa, como para enxugar o suor e, ao mesmo tempo, afastar um pensamento doloroso.

EZEQUIEL

Está se sentindo mal?

ADAUTO

Não.

EZEQUIEL

Cansado?

ADAUTO

Um pouco. Ontem não dormi bem.

EZEQUIEL

Ninguém dormiu bem aqui, ontem à noite. Acho que é por causa da Polícia. Minha filha também não dormiu: ficou conversando com seu irmão até tarde!

Adauto

    É mentira!

Ezequiel

    Você sabe que não é! Que mal faz? Ela não conversa com você também?

Adauto

    (*Empunhando o martelo.*) Você não sabe o que está dizendo! Algum dia ainda vou esmagar sua cabeça até matá-lo!

Ezequiel

    Que nada, você precisa muito de mim! Eu sei de fatos que lhe interessam muito.

Adauto

    O que é que você quer dizer?

Ezequiel

    Um dia você saberá tudo, é cedo ainda. Por que está tão inquieto?

Adauto

    Não sei.

Ezequiel

    Talvez seja a espera do ataque. Ou a espera de Joana!

Adauto

    Eu não estou esperando nada, nem ninguém! É que estou cansado do trabalho na pedra.

Ezequiel

    Seu Pai sabe para onde foi Joana?

ADAUTO

>Não sei!

EZEQUIEL

>Por que você não fala com ele sobre isso?

ADAUTO

>Não tenho nada a dizer a meu Pai!

EZEQUIEL

>Você sabe onde Joana está! Conte a ele!

ADAUTO

>Eu não sei de nada!

EZEQUIEL

>É, eu também não sei! O que não deixa de ser estranho, ela já devia estar aqui, cortando a pedra! Se você tiver alguma ideia a respeito disso, conte a seu Pai... antes que seja tarde.

ADAUTO encara-o com ódio e volta a malhar a pedra. Entra ABEL.

ABEL

>Pegado no trabalho, como sempre?

ADAUTO

>É! Com tudo o que está acontecendo, o trabalho hoje quase não se adiantou. Por que não veio me ajudar?

ABEL

>Além de olhar as Cabras, tive que fazer outras coisas, meu irmão.

EZEQUIEL

>Com Joana?

ABEL

>Não, sozinho!

ADAUTO

>(*Para EZEQUIEL.*) Deixe Joana em paz!

EZEQUIEL

>Fiz somente uma pergunta! Por que não posso falar em Joana? Afinal, ela é minha filha! (*Para ABEL.*) Você sabe para onde ela foi?

ABEL

>Não.

EZEQUIEL

>Ela não contou a ninguém para onde ia, hoje! Nem a você, que agora é o confidente dela!

ABEL

>Eu? Não! (*Para ADAUTO.*) Joana sempre preferiu estar com você.

EZEQUIEL

>Isso foi há tempo. Agora, anda muito estranha! Outro dia, à noite, levantou-se da rede e saiu, sozinha. Ficou aqui muito tempo, olhando a Pedra!

ADAUTO

>Eu também venho aqui, às vezes, mesmo de noite!
>Que é que isso tem de estranho?

EZEQUIEL

>Não sei!

ADAUTO

>Vocês não sabem tanta coisa? Pois digam tudo agora!
>Tenham coragem!

ABEL

>Que é isso, meu irmão? O que é que você tem?

ADAUTO

>Nada!

ABEL

>Você está trabalhando mais do que deve, com as
>pedras!

EZEQUIEL

>É o cansaço sagrado! Este, nosso, é um trabalho
>sagrado, o Pai de vocês é quem sabe: cortar a pedra,
>de manhã à noite! Em busca de quê, afinal?

ADAUTO

>Em busca do Anjo! Um dia, a escultura estará pronta.
>Nós subiremos a Pedra de madrugada e, quando o Sol
>aparecer, o Anjo de pedra estará lá em cima, para que
>Deus o aviste com alegria!

ABEL

>Talvez a gente não viva o bastante para aprontá-lo!

EZEQUIEL

> Não importa! O que interessa é procurar o Anjo, mesmo que não esteja pronto quando a morte vier. Acharemos nossa verdadeira vida ao construí-lo: eu, seu Pai, vocês dois... e Joana! Mas, para isso, é necessário ficar aqui!

ADAUTO

> Eu nunca sairei deste lugar!

EZEQUIEL

> E você?

ABEL

> Cada um trate de fazer a sua parte. Cuide do seu trabalho e deixe o meu em paz!

ADAUTO

> (*Para EZEQUIEL.*) Saia! Quero falar com meu irmão!

EZEQUIEL

> Está bem! (*Sai.*)

ABEL

> O que é que você tem para me dizer?

ADAUTO

> Nada! É que não podia mais suportar a presença dele aqui!

ABEL

> É, às vezes fica assim, falando coisas estranhas!

ADAUTO

Quem será ele, na verdade? Quem será o Doido? O que é que Bento e Ezequiel estão fazendo aqui, conosco?

ABEL

Somente o nosso Pai é quem sabe, e ele não gosta de falar nisso!

ADAUTO

O Sol se põe daqui a pouco, e Joana ainda não voltou. É perigoso andar por aí, com a Polícia em todo canto!

ABEL

Não se preocupe, Joana sabe o que faz!

ADAUTO

Quando o Sol queima assim, é muito difícil encontrar os caminhos!

ABEL

Ainda é de dia, meu irmão!

ADAUTO

E o Sol cega meus olhos! Veja a Pedra!

ABEL

Que tem ela?

ADAUTO

Está olhando para nós! Parece viva, certas horas!

ABEL

Por quê?

ADAUTO

Às vezes, venho para cá, de noite. Todos estão dormindo. De dia, não, mas de noite, este lugar, com a Lua, parece o mais silencioso do mundo. E a Pedra ganha vida, como se no seu interior houvesse coisas que não podemos ver... porque somos indignos disso!

ABEL

Eu sinto alguma coisa parecida! Às vezes, perco a esperança. É preciso esculpir o Anjo, mas, talvez por causa de tudo o que aconteceu aqui, a Pedra é insensível ao nosso esforço e ao nosso sofrimento!

ADAUTO

Não diga isso nunca, meu irmão! Nosso Pai é quem sabe o que ela significa. Esta Pedra vale muito: com ela, podemos encontrar a salvação!

ABEL

Nosso Pai só pensa no trabalho. Construir o Anjo é tudo, para ele!

ADAUTO

Eu acredito em meu Pai! Na Pedra, existem muitas coisas escondidas! Nela podemos achar um outro mundo. Um mundo onde é possível descobrir aquilo que nós somos, na verdade!

ABEL

Você acredita nisso?

ADAUTO

    Acredito! É preciso construir o Anjo. Trabalhar! Achar uma vida mais sincera do que esta!

ABEL

    Você acha falsa, a sua?

ADAUTO

    Vejo tantas coisas! Visões capazes de envenenar meu sangue!

ABEL

    É por causa do sangue que se derramou aqui! Não tenha medo!

ADAUTO

    É uma maldição! Veja: antes de se pôr, o Sol vai me queimar!

ABEL

    É somente mais um dia que se acaba!

ADAUTO

    Eu tenho medo do Sol! Por quê? Por que isso, meu irmão?

ABEL

    Não sei! Mas é possível vencer o medo!

ADAUTO

    Sim, é possível. Às vezes, consigo vencê-lo! Então tudo fica sereno de repente, e eu consigo esquecer meus sonhos.

ABEL

> Cada um de nós tem os seus.

ADAUTO

> A noite é sempre mais sossegada, sem o Sol, a Terra não sofre mais. A de ontem começou mal, mas depois ficou clara e sossegada pela Lua.

ABEL

> Você viu alguma coisa, na luz da lua?

ADAUTO

> Vi, mas era uma coisa boa! Foi um Anjo, que eu vi, como se o nosso já estivesse pronto! A princípio, tive medo: "O Anjo tinha seis asas; com duas cobria o rosto, com duas o sexo e com as outras duas voava. À voz de seus clamores as Pedras se cobriam de fumaça. Então, eu disse: — 'Ai de mim, estou perdido! Sou homem de lábios impuros, e vivo no meio de um Povo de lábios impuros.' Nisto, o Anjo voou para junto de mim, trazendo na mão uma brasa, e com ela queimou meus lábios. Então não tive mais medo."

CÍCERO

> Os Anjos são perigosos. Por isso, eu ficava mais tranquilo quando vocês estavam fazendo, na Pedra, esta Sagrada Família que hoje está aqui. Foi um Anjo que nos expulsou do Paraíso, e eu gosto mais da Sagrada Família, porque ela já nos fala do Cristo.

ADAUTO

> Parecia tudo tão claro! Eu fui até aquele pedaço de mato que tem ali. De repente, a Lua saiu das nuvens e eu vi o Anjo voando para o alto das Pedras.

ABEL

> Ele falou com você?

ADAUTO

> Não. Por enquanto, não se pode falar com ele: ainda é feito de pedra.

ABEL

> O que é que você espera dele?

ADAUTO

> Não sei. Ontem, tudo estava claro. Mas hoje o Sol me cegou de novo!

ABEL

> Sossegue! Quando Joana voltar...

ADAUTO

> Não fale disso a Joana!

ABEL

> Você não gosta dela?

ADAUTO

> Gosto. Mas é filha de Ezequiel, e não quero falar com ela sobre o Anjo. Onde ficou Joana?

ABEL

> Não sei.

ADAUTO

    É claro que você sabe! E eu, pelo menos, desconfio! Passei a noite acordado e ouvi vocês dois conversando até tarde. Onde está Joana? Você sabe, não negue!

ABEL

    É verdade. Ela foi...

ADAUTO

    Ver as terras de baixio que ficam abaixo da Serra, não foi?

ABEL

    Foi.

ADAUTO

    Vocês não têm nada a fazer ali, seu trabalho é o das Cabras. Outra coisa: não pense que vocês dois vão nos deixar agora!

ABEL

    Por que você diz isso?

ADAUTO

    Porque seu lugar é aqui!

ABEL

    Não quero mais viver nestas Pedras!

ADAUTO

    Não é que você não queira, é que não pode! Não tem coragem para isso!

ABEL

    Você está aprisionado pelas pedras; e eu é que sou covarde?

Adauto

Eu nunca sairei da Pedra do Reino! Foi aqui que o Anjo apareceu! E aqui está a Pedra de onde hei de arrancá-lo de novo. Entendeu? Eu nunca sairei deste lugar! Aqui hei de ficar para sempre!

Coreuta

(*Cantando.*)

"Não direi de Joana Temerária
sequer as culpas mínimas
e os padecimentos menores.
Direi que ela era semáfora:
daí as grandes perturbações
nas rotas de Palhano."

Coro

(*Cantando.*)

"De seu secreto pendor
para vestidos vermelhos
e alvas combinações
surgiu-lhe o primeiro amante."

Coreuta

(*Cantando.*)

"E foi uma consumação:
o mangue fedia a um mar afogado
e os homens eram feras castigadas."

Entra Joana. Abel corre para ela e abraça-a.

ABEL

>Você voltou! Viu as terras do baixio?

JOANA

>Vi! As terras e o rebanho de Cabras pastando nelas!

ABEL

>O espírito de Deus habita lá!

ADAUTO

>Por que você saiu daqui sem dizer nada a meu Pai?

JOANA

>Eu precisava ver aquela terra. E você deve ir lá, também.

ADAUTO

>Tudo o que eu quero está aqui! Vocês vão ser amaldiçoados!

JOANA

>Não importa! Ontem, estava com medo. Depois, desci a Serra, e, quando cheguei lá, tudo ficou em paz de repente!

ABEL

>Como a noite, quando vem baixando. Cheia de sombras, no começo. Depois, a Lua ilumina tudo, dando paz à Terra.

JOANA

>Quero ir para lá, com você!

ABEL

>Antes, é preciso falar com meu Pai.

Adauto

> Então vocês vão dizer a ele?

Joana

> (*Tensa.*) O quê?

Adauto

> Que querem deixar a Pedra do Reino! (*Joana parece aliviada.*) Meu Pai não deixa, este lugar é sagrado!

Abel

> Você não conhece aquela terra, meu irmão! Nós iremos para lá, Joana. No mato, os troncos são altos, e, em tempo de chuva, o Sol chega no chão já esfriado pelo orvalho das árvores. De noite, com a Lua, tudo fica cheio de sombra e luz.

Adauto

> Os lugares em que o fogo não cortou a Pedra são malditos!

Abel

> Você não pode saber isso!

Adauto

> Posso, sim! Sei disso melhor do que todos. Vocês não sabem até onde chega o meu poder! Joana, procure salvar-se, enquanto é tempo!

Sai.

ABEL

O que foi que ele quis dizer?

JOANA

Não sei.

ABEL

Está muito estranho, hoje! Talvez seja por causa do cerco da Polícia. Mas ele ouviu nossa conversa, ontem à noite. E não quer que eu saia daqui. Acho que é por causa da promessa de meu Pai.

JOANA

Não, ele sempre foi estranho! E assim ficará até que...

ABEL

Até o quê, Joana?

JOANA

Não sei! Mas é melhor não sairmos daqui!

ABEL

Se ficarmos, teremos de renunciar à vida. Está com medo?

JOANA

Com você, tenho coragem. Mas, quando estou sozinha, toda claridade vai embora. O mundo fica como se todas as pessoas fossem sombras, sombras sem rosto, caminhando na escuridão. (*Abraça-o.*) É a você que eu amo, nunca se esqueça disso! Você vai esquecer!

ABEL

 Não esquecerei nunca, Joana. Lá, em nossa terra, a coragem lhe será dada!

JOANA

 Não me deixe sozinha novamente!

ABEL

 Você não ficará só nunca mais! Irá comigo para a terra!

JOANA

 O amor pode trazer a destruição e a morte. Mas não com você; e só muito tarde é que descobri isso!

ABEL

 Você sempre se entendeu melhor com meu irmão.

JOANA

 É verdade! Por quê? Por que foi sempre assim?

ABEL

 É porque seu mundo é mais parecido com o dele do que com o meu, Joana.

JOANA

 Mas é a você que eu amo!

ABEL

 É este lugar que nos dilacera! Será diferente, nas terras lá de baixo.

JOANA

 E se seu Pai não nos abençoar? Este lugar é sagrado para ele!

ABEL

Nós iremos de qualquer maneira. Só assim ficaremos livres; eu, do pesadelo destas pedras; você, de suas noites povoadas de sombras.

Entra ELIAS.

ELIAS

O Sol já está baixando, e você hoje não trabalhou nas pedras. Por quê?

ABEL

Fui cuidar das Cabras. É preciso que alguém faça isso.

ELIAS

Não vejo por quê!

ABEL

Nós precisamos viver, meu Pai!

ELIAS

Somente o essencial; e quanto mais dificilmente, melhor. Nós temos que ser duros. Duros como a Pedra que nos foi dada. Quanto a cuidar da terra, as Cabras são melhores do que os roçados. Mas lembre-se de que as forças do Mal podem estar escondidas naquele modo de vida.

ABEL

Até agora não fiz nada que me possa ser censurado!

ELIAS

> Eu sei, mas é preciso estar atento. Conosco, tudo é mais difícil, tudo se pode exigir de nós. As pedras nos foram dadas, a nós somente!

JOANA

> A vida também nos foi dada para que a vivêssemos.

ELIAS

> Sim, a vida. Mas é preciso vivê-la no mais alto! E isto só é possível aqui, cortando as pedras. Os outros não são capazes disso! Por quê? Porque não têm força. Não têm coragem de enfrentar uma vida dura como a nossa. Minha família tem coragem! Eu, meus filhos, e você também, Joana!

ABEL

> Não vejo mal em se cuidar das Cabras, meu Pai!

ELIAS

> Sim, temos que fazer isso, mas o trabalho da Pedra é que é sagrado. Nós não somos como os outros. Que é que você está querendo dizer?

JOANA

> Tem de haver quem cuide dessa parte!

ELIAS

> Sim, mas sabendo que a vida verdadeira é a outra!

ABEL

> Todos nós temos uma construção a realizar.

ELIAS

Sim, é isto, meu filho! O trabalho das pedras. Cheguei a pensar que...

JOANA

(*Tensa.*) O quê?

ELIAS

Nada, nada! Já estou ficando velho...

ABEL

Por que você diz isso?

ELIAS

O trabalho está me deixando cansado. Bento gritou a noite toda, e eu não ouvi: estava cansado, e não acordei.

ABEL

É verdade, o Doido passou a noite inquieto. Parece sofrer muito.

ELIAS

E eu nada fiz para ajudá-lo: seu irmão foi quem passou a noite com ele. É por isso que digo: está chegando a hora de alguém me substituir.

JOANA

Ezequiel pode tomar conta de Bento.

ELIAS

Não é só do Doido que estou falando: quero que alguém fique no meu lugar, substituindo-me em tudo.

ABEL

Vai deixar o trabalho?

ELIAS

Deixar o meu trabalho! Como pode pensar numa heresia como essa? Hei de morrer com o martelo na mão. Mas como Ajudante. Não quero continuar como Mestre.

JOANA

Depois de trabalhar tanto?

ELIAS

Minha hora já passou! Uma vez, há muito tempo, passei dias inteiros ajoelhado aqui. A terra estava seca, tudo vermelho. Então, de joelhos, procurei resposta e alívio para muitas coisas. E foi-me dado pressentir tudo o que estava escondido aqui nestas Pedras, que o fogo de Deus tinha cortado e que nós deveríamos continuar cortando, na procura!

JOANA

Pode-se viver em qualquer lugar!

ELIAS

Não. Você não sabe do que está falando, Joana. Precisa de alguém para guiá-la. Até agora, eu me encarreguei disso. Mas não posso mais. Abel, meu filho, venha cá.

ABEL

Que quer, meu Pai?

ELIAS

> É tempo de você assumir o meu lugar. Trabalhei durante muito tempo. Estou velho e quero investi-lo das minhas obrigações.

ABEL

> Meu irmão é melhor do que eu, para isso.

ELIAS

> Não, ele é inquieto demais, também precisa de que alguém o conduza. Quero que você, mesmo mais moço, passe a ser o Pai de todos. E não se esqueça de Bento, tenha mais cuidado com ele.

JOANA

> Não pode ser, Abel é muito moço para isso! É cedo!

ELIAS

> Não, não é cedo. Comecei o trabalho muito moço, também. Esperei por este dia muito tempo, preparei vocês para ele!

ABEL

> Espere pelo menos até acabarmos o trabalho! Você, que começou tudo, tem o direito de levar o Anjo lá para cima, quando tudo estiver pronto!

ELIAS

> Não, não tenho esse direito.

JOANA

> Por quê?

ELIAS

> Eu mesmo decidi assim, e o motivo só a mim interessa. Não posso mais adiar nada, principalmente com a Polícia aí. Digam aos outros: a cerimônia será junto às Pedras, quando o Sol se puser.

JOAJUA corre para ABEL e abraça-se com ele.

ABEL

> Pai!

ELIAS

> Que há?

ABEL

> Peça a meu irmão para substituí-lo!

ELIAS

> Já lhe disse que não. Já resolvi, tem que ser você.

ABEL

> Não posso, meu Pai!

ELIAS

> Não pode por quê?

ABEL

> Vou deixar a Pedra do Reino.

ELIAS

> Vai deixar a...

ABEL

> Vou, meu Pai. Não posso mais viver aqui, e vou-me embora.

ELIAS

> Você só sai daqui depois que eu morrer!

ABEL

> Não diga isso!

ELIAS

> Não se atreva! Vocês não sabem de nada: tenho minhas razões e basta!

ABEL

> Não basta, meu Pai! Eu nunca fui feliz aqui.

ELIAS

> Ninguém é feliz em canto nenhum! É preciso aceitar o destino que nos foi dado.

ABEL

> Não. Nós temos o direito de procurar outro.

ELIAS

> Nós? Você e quem mais?

JOANA

> Não diga!

ELIAS

> Fale, diga quem é!

ABEL

> Joana vai comigo!

ELIAS

>Ah, então é isso! O demônio da carne!

ABEL

>Demônio? O que não posso é suportar mais a solidão em que vivi até agora, encerrado entre estas Pedras.

ELIAS

>O demônio da carne! Covarde!

ABEL

>Por que me chama de covarde? Por causa da Polícia?

ELIAS

>Não, sei que dela você não tem medo. Está fugindo de outra coisa!

ABEL

>Se estou, é de suas visões!

ELIAS

>Então meu Anjo é somente uma visão...

ABEL

>Se não é, me explique a razão da vida que levamos aqui! Por que vivemos aprisionados, trabalhando dia e noite nestas Pedras? Onde está minha Mãe? Quem é o Doido, na verdade?

ELIAS

>Você não tem o direito de saber!

ABEL

>Então vou construir minha vida longe daqui. Vou para os baixios, com Joana.

ELIAS

A responsabilidade da decisão é sua! E você vai fraquejar!

ABEL

Estamos decididos, meu Pai. Mas peço uma derradeira bênção sua. Já que vamos embora, quero ir com nossa união abençoada. Quero que Joana seja minha mulher.

ELIAS

Não! Já que abandonam tudo, eu também renego vocês. Tenho somente um filho, agora. Deixar um lugar sagrado como este por uma terra maldita!

ABEL

Não diga isso, meu Pai!

ELIAS

Digo, sim, porque é verdade! Malditos sejam, a terra e vocês dois! Saiam daqui!

ABEL

Está bem, meu Pai: sairemos hoje à noite.

ELIAS

Se vocês se arrependerem, tudo será esquecido, e o casamento de vocês será celebrado por Cícero perto das Pedras. Se não, saiam sem se despedir, não quero mais vê-los. Adeus!

*S**ai.*

ABEL

>Não tenha medo, Joana! Agora é que a nossa vida vai começar!

JOANA

>Estava com medo, mas agora irei com você.

ABEL

>Pense naqueles baixios cobertos de Cabras, a terra como uma mulher deitada, com o ventre pulsando, e nós construindo uma vida em comum, juntos para a vida inteira...

JOANA

>Não pode ser uma vida maldita, essa!

ABEL

>Sairemos assim que a Lua aparecer. Vamos, nem que seja ao encontro da Morte.

JOANA

>Não fale na Morte, agora!

ABEL

>Não tenha medo dela, Joana. A Morte pode nos trazer a mesma sensação de paz da terra. É como se mergulhássemos na fonte de seiva da Vida!

Um grito, e BENTO, o DOIDO, entra, perseguido por ADAUTO.

BENTO

>Minha força não é a força da Pedra!

CÍCERO

>(*Recitando.*) "É, porventura, a minha força a força da Pedra?"

CORO

>(*Recitando.*) "Tenha pena, grande Comandante, dos homens de barro!"

ABEL

>O que é que Bento faz aqui? Que foi que houve?

ADAUTO

>Eu estava trabalhando com ele, na cerca de pedra. De repente, começou a gritar e correu. Não pude segurá-lo.

ABEL

>Quando fica assim, a gente precisa redobrar o cuidado. Quando ele avista as pedras, piora.

ADAUTO

>E é você quem se atreve a me dar conselhos?

BENTO

>É? Minha força é a força da pedra?

ADAUTO

>(*Olhando para ABEL.*) Não, não é! Nem todo mundo tem a força da pedra!

ABEL

>Nem todo mundo tem é a coragem de viver como quer!

ADAUTO

> Eu tenho a vida que quero. E não aceito nada de quem nos abandona!

JOANA

> (*Para BENTO.*) Venha, você não deve ficar aqui!

ADAUTO

> Só saem daqui os covardes! (*Para BENTO.*) Venha, venha comigo!

BENTO

> Não quero mais estas pedras! Não posso mais! Não fico mais aqui: minha força não é a força da pedra! Não posso mais!

Sai, levado por ADAUTO, que o conduz meio à força.

JOANA

> (*Abraçando ABEL.*) Nós não devemos ir, é melhor ficar!

ABEL

> O medo voltou?

JOANA

> Sim, voltou! Tenho medo de ver minha alma aprisionada.

ABEL

> Quem pode aprisionar sua alma, Joana? As pedras?

JOANA

> Não, os fantasmas do passado.

Abel

> Eu livrarei você deles.

Joana

> Você terá forças para isso? Sejam quais forem? Tenho medo de que eles nos destruam!

Abel

> Nenhum fantasma tem força contra o lado de Deus! Meu Pai não quis abençoar-nos, então eu assumo a responsabilidade. Aqui, diante da Sagrada Família! Agora, você é minha mulher diante de Deus, Joana!

Joana

> Só você pode me salvar!

Saem os dois, abraçados.

Cícero

> (*Recitando.*) "Ouvi uma revelação, e meu ouvido captou seu murmúrio."

Coro

> (*Recitando.*) "Quando o sono cai sobre o homem, surgem visões noturnas, de pesadelo."

Cícero

> (*Recitando.*) "Tremor e terror apossaram-se de mim, um frêmito sacudiu meus ossos."

Coro

(*Recitando.*) "Pode um homem ser justo diante de Deus? Pode um mortal ser puro diante de seu Criador?"

Adauto, que permaneceu em cena, enquanto o Coro fala, fica com o martelo e o cinzel, mas trabalha como sem convicção. Joana entra e, sem ser vista por ninguém, esconde-se atrás de uma das esculturas da Sagrada Família. Depois de alguns instantes, entra Abel.

Abel

Você falou com nosso Pai? Ele está querendo que você tome o lugar de Mestre.

Adauto

Agora, depois que você o recusou!

Abel

Você vai aceitar?

Adauto

Vou! Não, não sei! Quando é que vocês dois vão embora?

Abel

Quero sair com a Lua, foi o que combinei com Joana. Mesmo caminhando devagar, dá para chegar ao pé da Serra de manhã cedo.

Adauto

E meu Pai?

ABEL

> Disse que, se nós nos arrependêssemos, tudo estaria esquecido. Se não, saíssemos sem vê-lo. Meu irmão, o que é que você pensa da nossa ida?

ADAUTO

> Você deve ir, e logo! Vá, enquanto é tempo!

ABEL

> Você mudou de opinião e eu lhe agradeço por isso. Você compreendeu, e com isso voltaram a confiança e a amizade que sempre existiram entre nós! Foi por causa do Anjo que lhe apareceu aqui?

ADAUTO

> Não fale mais nisso! Essas coisas não lhe pertencem mais!

ABEL

> Por que não? Tudo o que lhe toca faz parte da minha vida. Você não sente isso?

ADAUTO

> Mais do que você imagina!

ABEL

> Pois não é? O Anjo apareceu aqui. Você deve encontrá-lo novamente, desta vez por seu esforço, trabalhando a pedra. A mesma coisa eu farei lá, com as Cabras: a terra é, para mim, o que a pedra é para você.

ADAUTO

(*Acariciando o granito.*) A pedra! Sonhei com ela muito tempo! A pedra me aparecia sempre como a porta de outro Reino... Um Reino de forças aprisionadas, que eu devia encontrar e libertar!

ABEL

Sim, é isso, forças aprisionadas... Nós somos assim, é a força do sangue do nosso Pai. Para onde foi Joana?

ADAUTO

Não sei.

ABEL

Temos que nos preparar porque daqui a pouco o Sol se põe.

Sai. Entra JOANA.

ADAUTO

Você! Que faz aqui? Queria ouvir nossa conversa, não era?

JOANA

Era, sim!

ADAUTO

Meu irmão não confia tanto em você? Ele lhe contaria tudo, depois!

JOANA

Preciso de sua ajuda, Adauto. Tenha compaixão, tenha misericórdia!

ADAUTO

>Você não tem nada a temer.

JOANA

>Quero largar tudo e começar outra vida!

ADAUTO

>Com ele?

JOANA

>Sim!

ADAUTO

>E que é que eu tenho a ver com isso?

JOANA

>Não é preciso que eu diga. Você sabe!

ADAUTO

>As coisas são muito fáceis: uma pessoa não nos interessa mais, abandoná-la é o que se deve fazer!

JOANA

>Não, não é assim!

ADAUTO

>Foi isso o que ouvi de você, há tempo: a vida era para os que tinham coragem! Coragem de quebrar a lei que tolhe os demais!

JOANA

>É preciso perdoar e esquecer!

ADAUTO

>Existem coisas que não podem ser esquecidas.

JOANA

> Não há esperança, portanto: você quer a nossa destruição!

ADAUTO

> (*Num impulso, segurando-a pelos ombros.*) Joana, fique comigo!

JOANA

> Não posso!

ADAUTO

> Por quê?

JOANA

> Minha fonte secou. Tenho que procurar a nascente, para que ela brote de novo!

ADAUTO

> Você pode fazer isso aqui, Joana! Fique comigo! Só com você é que poderei achar o que procuro!

JOANA

> O que é que você procura?

ADAUTO

> Diga que fica. Somente depois é que posso contar-lhe meus sonhos!

JOANA

> Não posso ficar.

ADAUTO

> Você ama Abel, não é?

JOANA

    Amo, sim.

ADAUTO

    Então, vá pedir ajuda a ele. Fale das coisas que você me ensinava antes!

JOANA

    Eu mudei, Adauto!

ADAUTO

    Ah, mudou... E por que está enganando Abel?

JOANA

    Eu não estou enganando ninguém!

ADAUTO

    Então explique por que se escondeu para ouvir nossa conversa. Estava com medo do que eu poderia contar a ele, não era? O fato de ocultar a ele o que aconteceu já é uma traição. Vocês vão começar a nova vida mergulhados na mentira! É a lama, a maldição da terra e do barro!

JOANA

    Não tenho mais nada a fazer aqui. Adeus!

ADAUTO

    Não, não diga adeus: a noite que vai levá-la daqui pode reconduzi-la de volta. Você não poderá fugir, sua alma também é de pedra!

Joana sai, desesperada. Adauto acompanha-a um pouco. Depois, para de repente e cobre o rosto com as mãos, murmurando: "Meu irmão!" Entra Ezequiel.

Ezequiel

Seu irmão já saiu?

Adauto

Não, só vai depois que anoitecer. Está esperando a Lua.

Ezequiel

A Lua... Quando ela aparece como ontem fica boiando no sangue da gente!

Adauto

(*Fascinado.*) No sangue...

Ezequiel

É muito poderosa, a força do sangue!

Adauto

Você não pode saber!

Ezequiel

Por quê?

Adauto

Porque seu sangue não é o meu!

Ezequiel

Seu sangue?

ADAUTO

    Sim! Sentir em nosso sangue forças desconhecidas, que se despedaçam entre si!

EZEQUIEL

    É preciso domá-las!

ADAUTO

    Sim, domá-las, castigando o sangue contra as pedras! É preciso destruir as feras!

CORO

    (*Recitando.*) "Não está o homem condenado a trabalhos forçados, na terra? Não são seus dias os de um mercenário?"

CÍCERO

    (*Recitando.*) "Farás uma aliança com as pedras do campo, e não temerás as feras selvagens."

COREUTA

    (*Recitando.*) "Como o escravo suspira pela sombra, como o assalariado espera sua paga, assim tive por herança meses de decepção, e couberam-me noites de pesar."

CORO

    (*Recitando.*) "Quando te deitas, pensas: *Quando virá o dia?* E quando te levantas: *Quando chegará a noite?*"

CÍCERO

    (*Recitando.*) "E, então, loucos pensamentos te invadem, até que o Sol se põe."

EZEQUIEL

    Sim, você deve destruir seu sangue.

ADAUTO

    (*Embriagado.*) Destruir meu sangue...

EZEQUIEL

    Seu sangue que vai traí-lo! Que, na verdade, já traiu!

ADAUTO

    Eu nunca fui traído!

EZEQUIEL

    A noite de ontem caiu de repente, não foi?

ADAUTO

    Foi. Tudo se encheu de sombra e de escuridão.

EZEQUIEL

    Quando o Sol se escondeu, vi seu irmão e Joana.

ADAUTO

    Que é que você quer dizer com isso?

EZEQUIEL

    Ele fez de Joana sua mulher; aqui, na força da Lua!

ADAUTO

    É mentira! Somente hoje é que ele fez isso, e diante de Deus!

EZEQUIEL

    Não, desde ontem que Joana é a mulher dele. Vi tudo!

ADAUTO

    Então é preciso castigar meu sangue!

EZEQUIEL

    Hoje, seu irmão falou da morte!

ADAUTO

    Não! O castigo sim, mas a morte não!

EZEQUIEL

    A morte, sim! Ele falou dela com o mesmo amor com que fala da terra!

ADAUTO

    Da terra!

EZEQUIEL

    Sim, da terra maldita! Falou de você com Joana, os dois rindo de seus sonhos com a pedra!

ADAUTO

    Não é verdade!

EZEQUIEL

    Você sabe que é verdade! É preciso destruir seu sangue, livrá-lo da lama da terra!

ADAUTO sai, bruscamente. Entra BENTO, que vai até a pedra.

BENTO

    (*Sombrio.*) A pedra!

EZEQUIEL

    Sim, meu irmão! É tempo de começar nossa vingança! Contra as pedras e contra eles!

BENTO

Contra eles?

EZEQUIEL

Sim, você não se lembra mais?

BENTO

Não me lembro de nada! Minha alma está ferida pelas pedras!

EZEQUIEL

É preciso lutar contra isso!

BENTO

Os homens foram feitos de barro! De noite, sinto a terra me chamando, o barro do meu corpo quer voltar. Quero voltar ao barro!

EZEQUIEL

(*Tapando-lhe a boca.*) Não grite, meu irmão! Vamo-nos vingar hoje!

BENTO

Nós não temos força contra a Pedra! Estamos presos por ela. Veja, estas figuras somos nós! Nunca sairemos daqui!

EZEQUIEL

Um dos dois irmãos quer se libertar!

BENTO

Sim, aquele que vai voltar para a terra.

EZEQUIEL

Mas os outros também são feitos de barro.

CÍCERO

    (*Recitando.*) "No tempo em que Deus fez a terra, ainda não tinha feito chover sobre ela e não havia o Homem para cultivá-la."

CORO

    (*Recitando.*) "Entretanto, um manancial corria na Terra e regava a sua superfície."

CÍCERO

    (*Recitando.*) "Então Deus modelou o homem com o barro do chão. Insuflou em suas narinas um sopro de vida e o homem se tornou um ser vivente. E Deus tomou o Homem e o colocou no Jardim do Éden para cultivá-lo e guardá-lo. E deu ao homem um mandamento:"

CORO

    (*Recitando.*) "Podes comer de todas as árvores do Jardim. Mas da árvore do Bem e do Mal não comerás: porque no dia em que dela comeres haverás de morrer."

CÍCERO

    Isto significa que o grande pecado do homem é querer decidir, sem Deus, o que é Bem e o que é Mal.

EZEQUIEL

    Sim, nós nos vingaremos deles. Pensam que são maiores do que nós, mas o barro que está em seu sangue será castigado.

BENTO

> Você vai se vingar hoje?

EZEQUIEL

> Eu, não: nós dois! Todos estes anos de sofrimento, eles vão nos pagar antes que anoiteça!

BENTO

> Não me lembro de nada! Quero viver em paz, na terra!

EZEQUIEL

> Depois! Daqui a pouco um deles vem aqui, olhar a Pedra.

BENTO

> É o que vai para a terra? Eu quero ir com ele, meu irmão!

EZEQUIEL

> Não! Depois, iremos nós dois, juntos. Mas o que vem é o outro. Fale com ele, Bento. Diga como se sente sobre a terra, sobre o barro do nosso sangue. Você diz?

BENTO

> Digo. Gosto de falar na terra. É como se ela começasse a cantar. A música da terra sobe pelos nossos pés e chega até o coração.

EZEQUIEL

> Fale com ele sobre isso, e nós nos vingaremos. Não se esqueça, ele chega já!

Sai. Entra ADAUTO, *que fica olhando* BENTO, *enquanto ele fala para as esculturas.*

BENTO

> Homens de pedra... Nós não somos feitos de pedra, todos nós temos barro no sangue. Vejam: nossa carne é feita de barro!

ADAUTO

> Que é que você está fazendo aqui?

BENTO

> Você não foi embora... É a força das Pedras!

ADAUTO

> Não, eu sou o que vai ficar!

BENTO

> Ah, é o que fica, o homem de pedra!

ADAUTO

> Por que você diz isso?

BENTO

> Ninguém pode resistir a elas! Era preciso que nossa carne não tivesse a lama da terra!

ADAUTO

> Você não sabe o que está dizendo!

BENTO

> Sei, eu sei o que é o barro! Ele nos chama, de noite, cantando a canção da terra.

ADAUTO

>Ela é cantada só para os covardes!

BENTO

>Não: espere uma noite sem lua, que você vai ouvir a terra cantando.

ADAUTO

>Uma noite sem lua!

BENTO

>Sim! Nas noites de lua a terra se cala e as pedras ganham força: porque a Lua também é de pedra!

ADAUTO

>É verdade: tem noites em que a Lua parece de pedra!

BENTO

>Ela pode ferir a nossa carne, e castigar nosso sangue!

ADAUTO

>Castigar o sangue!

BENTO

>Derramado, ele volta para a terra!

ADAUTO

>"Ao seio da terra voltaremos!"

BENTO

>O sangue tem saudade da terra.

ADAUTO

>(*Agarrando-o.*) Cale essa boca amaldiçoada!

De repente, ele o solta e esconde-se por trás das esculturas. Entra ELIAS. Ao ver BENTO, fala-lhe com doçura.

ELIAS

O que é que você está fazendo aqui, só?

BENTO

Vim para me vingar.

ELIAS

Não diga isso! Vingar-se de quê?

BENTO

Não me lembro mais. Diga: de que é?

ELIAS

E eu sei? É melhor que você esqueça essas coisas!

BENTO

Às vezes, tento me lembrar, mas não posso! Aí quero esquecer, mas não posso!

ELIAS

Você não tem nada do que se lembrar. Veja se pode ser feliz assim. Aqui você viverá em paz. Eu e meus filhos cuidaremos de você.

BENTO

Um deles vai voltar para a terra!

ELIAS

A terra é amaldiçoada!

BENTO

    Eu já vivi lá, na terra! Ou não? Um dia saberei.

ADAUTO sai de seu esconderijo.

ELIAS

    Você estava aí?

ADAUTO

    Sim, estava com ele.

ELIAS

    E seu irmão?

ADAUTO

    Vai sair quando a Lua aparecer.

ELIAS

    Ele está mesmo resolvido? Vai de qualquer maneira?

ADAUTO

    Vai. Vai voltar para a terra ainda hoje.

ELIAS

    Você falou de maneira estranha... Que há?

ADAUTO

    Tudo parece estranho, hoje. Principalmente aqui, junto das Pedras!

ELIAS

    Ele me traiu! E numa situação dessas, com a Polícia nos cercando! Não importa! Mesmo que todos me deixem, ficarei. Sozinho, terminarei o trabalho!

ADAUTO

> Você tem outro filho, meu Pai. E, apesar de sempre ter preferido o outro, eu é que sei o que estas pedras significam!

ELIAS

> E Joana! Eu esperava tanto dela! Queria vê-la casada com um de vocês; mas aqui, continuando o nosso trabalho. E ela vai-se embora!

ADAUTO

> Não, meu Pai, Joana vai ficar!

ELIAS

> Como é que você sabe? Ela lhe disse alguma coisa?

ADAUTO

> Não, é somente uma impressão minha.

ELIAS

> Ela vai. Ama seu irmão.

ADAUTO

> Joana não ama ninguém, meu Pai!

ELIAS

> Ela mesma disse aqui que ia. Mas nós dois continuaremos. Vou continuar como Mestre mais algum tempo. Depois, você toma o meu lugar. Quer?

ADAUTO

> Você é quem sabe. Mestre ou não, hei de arrancar meu Anjo da pedra!

ELIAS

    Seu Anjo?

ADAUTO

    Sim. Também vi um Anjo, era como se o nosso já estivesse pronto! Hei de reconstruir o que vi, cortando as pedras!

BENTO

    Nós não somos feitos de pedra. Não queira se castigar contra elas!

ELIAS

    Não escute, meu filho! Você deve continuar. Nós temos uma dívida, e ela exige pagamento!

BENTO

    (*Para ELIAS.*) Você é como estas pessoas de pedra! Um dia, todos verão: as pedras da Lua vão esmagar vocês!

ELIAS

    Vá descansar! Saia, é preciso descansar! (*Para ADAUTO.*) Leve Bento daqui, ele fica perturbado pelas esculturas.

BENTO

    (*Enquanto ADAUTO o conduz.*) Quero voltar para a terra! Vocês todos serão esmagados!

Saem. Volta ADAUTO.

ELIAS

Ele não sabe o que diz! Vamos continuar nosso trabalho!

ADAUTO

De que é que ele pretende se vingar?

ELIAS

Não sei. É coisa de doido: faz muito tempo que ele fala nisso!

ADAUTO

E quem é esse doido, na verdade, meu Pai? De onde ele veio? Que faz aqui, conosco?

ELIAS

É cedo ainda, meu filho. Quando você for o Mestre, saberá de tudo. Quanto a seu irmão, diga-lhe que ainda é tempo para se arrepender.

Sai. De repente, como se tivesse ouvido algo, ADAUTO esconde-se de novo atrás das pedras. Entram JOANA e ABEL.

ABEL

Assim que o Sol se esconder, vamos sair. Só espero a Lua se ela sair como ontem.

JOANA

De repente, tudo me parece estranho! Como se eu nunca houvesse estado aqui!

ABEL

> O medo não nos perseguirá nunca mais. É o nosso último instante neste lugar!

JOANA

> E seu Pai?

ABEL

> Não nos verá nunca mais! Mas vá procurar meu irmão. Quero despedir-me dele.

JOANA

> Não! Não quero mais vê-lo!

ABEL

> Você tem alguma coisa a temer de Adauto?

JOANA

> Não.

ABEL

> Então vá! Quero que ele assista a nossa partida.

Sai JOANA. Entra ADAUTO.

ADAUTO

> Estou aqui, meu irmão!

ABEL

> Ah, é você. Pedi a Joana que fosse procurá-lo, queria me despedir de você. A Lua sai daqui a pouco!

ADAUTO

    A Lua! À noite, ela penetra em nosso corpo e queima nosso sangue!

ABEL

    Por que você diz isso?

ADAUTO

    Você sabe! Se acontece comigo, acontece com você também: nosso sangue é o mesmo.

ABEL

    É assim que você se sente?

ADAUTO

    Como não havia de me sentir? No meu sangue, falta qualquer coisa!

ABEL

    Que é isso? O que é que você tem?

ADAUTO

    Você nunca entenderá nada! Sentir, dentro de nós, forças aprisionadas, que querem se libertar!

ABEL

    É atrás da libertação que vou caminhar agora!

ADAUTO

    Eu sou muito diferente de você e minha resolução é outra!

ABEL

    Eu sei! E além disso, tenho Joana.

ADAUTO

>Ela vai, mesmo, com você?

ABEL

>Vai.

ADAUTO

>Vão atender ao chamado maldito da terra! É preciso resistir. Temos de castigar nosso sangue contra as pedras!

ABEL

>Não, meu lugar não é aqui. Tenho que ir para a terra que me chama!

ADAUTO

>Então, vá. Entregue à terra a parte do meu sangue que ouve seu chamado! Mas, antes de ir, vamos trabalhar na pedra juntos, pela última vez. Tome este martelo, eu ficarei com o outro.

ABEL

>Sim, é a última vez...

Empunha o martelo e aproxima-se da Pedra, que oculta seu tronco quase todo. ADAUTO aproxima-se dele, por trás.

ADAUTO

>Aí, sobre a Pedra! Meu sangue deve ser castigado contra ela. Derramado, ele voltará ao seio da terra!

Como quem se joga num abismo, baixa a nuca do irmão e, oculto este inteiramente pela Pedra, desfere-lhe um golpe contra a cabeça. Ouve-se um gemido abafado e ADAUTO levanta novamente o martelo. Mas, de repente, para, com ele no alto, e dá um grande grito, como se fosse ele o ferido. Depois, como um sonâmbulo, enxuga o sangue do ferro.

JOANA, ELIAS e EZEQUIEL entram, alarmados.

ELIAS

    Que houve?

ADAUTO

    Meu irmão!

ELIAS

    Onde?

Corre para trás da Pedra, mas ao ver ABEL, recua. Ao vê-lo recuar, JOANA dá um grito e quer correr para lá, mas ELIAS impede-lhe o caminho.

EZEQUIEL

    Que foi?

ADAUTO

    Meu irmão quis cortar a pedra pela última vez, e ela o matou!

ELIAS

>Caiu?

ADAUTO

>Caiu, e a pedra o feriu na cabeça!

ELIAS

>Abel foi castigado. Levem o corpo para ser enterrado ao pé das Pedras.

JOANA

>Não, junto às pedras, não!

ELIAS

>Junto às pedras, sim! Venha, Adauto! Joana não sairá mais daqui! Estamos todos pagando culpas antigas. Vocês ficam aqui, velando o corpo de meu filho Abel.

Sai, com ADAUTO.

CÍCERO

>(*Recitando.*) "Que proveito tira o homem de todo o trabalho com que se afadiga debaixo do Sol?"

CORO

>(*Recitando.*) "Morre o Pai, morre o filho, morre o neto, e somente a Terra permanece para sempre."

CÍCERO

>(*Recitando.*) "O Sol se levanta, o Sol se deita, voltando a seu lugar, e é de lá que de novo se levanta!"

CORO

(*Recitando.*) "Há um tempo para nascer, e há tempo para morrer, tempo para construir e tempo para destruir, tempo de cortar pedras e tempo para recolhê-las, tempo para curar e tempo para matar. Que proveito tira o homem de sua fadiga?"

CÍCERO

(*Recitando.*) "Observo a tarefa que Deus deu aos homens: Ele também colocou a eternidade em nosso coração. Mas o homem é incapaz de atinar com o significado da obra de Deus, e não vê que sua felicidade está em alegrar-se e fazer o bem durante toda a sua vida."

EZEQUIEL

Você vai dizer tudo, agora?

JOANA

Ninguém pode me obrigar a dizer o que não quero!

EZEQUIEL

Você é minha filha, estou apenas tentando ajudá-la.

JOANA

Não preciso de sua ajuda!

EZEQUIEL

É verdade! Já se foi o tempo em que você precisava de ajuda. Acabou-se a revolta!

JOANA

Por que não me deixa em paz?

EZEQUIEL

A paz! Você só a conseguirá quando estiver com aquele que está morto!

JOANA

Com ele?

EZEQUIEL

É preciso saber isso desde cedo. Eu não tive quem me dissesse.

JOANA

A paz está com ele, lá na terra!

EZEQUIEL

Não existe certeza nem quanto a isso. Como poderíamos saber?

JOANA

É verdade, nós nada sabemos.

EZEQUIEL

Mas aquele que morreu sabia. Uma vez ele lhe falou do repouso que a terra podia dar.

JOANA

Entrar no seio da Morte como fonte da Vida...

EZEQUIEL

Mas agora você está sozinha.

JOANA

Como poderei atender ao chamado da terra?

EZEQUIEL

    Sem a ajuda dele, você nunca poderá. Agora, você está só!

JOANA

    Onde ele estiver, eu estarei. Não estou sozinha!

EZEQUIEL

    É verdade, o outro ainda está vivo!

JOANA

    Hei de ficar com o que morreu!

EZEQUIEL

    Ele não pode fazer mais nada por você. Está lá, em cima da pedra da qual sonhava se libertar.

JOANA

    Vocês nunca saberão de nada, ninguém conheceu Abel como eu. Não havia ninguém como ele. A paz e a força dos rios corriam sobre mim, vindas de suas mãos!

EZEQUIEL

    De que lhe servirão elas, agora?

JOANA

    Ele há de me ajudar! Um dia hei de ter direito à piedade!

Entra ADAUTO.

ADAUTO

    Joana, que tem você?

EZEQUIEL

> Por que demorou tanto? O trabalho não pode ser interrompido!

JOANA

> O irmão dele está morto, meu Pai!

EZEQUIEL

> Não importa! Temos o dever de cortar a pedra, haja o que houver! É preciso continuar! E com muito mais razão agora!

ADAUTO

> Por quê?

EZEQUIEL

> Porque o corpo de seu irmão está em cima da pedra. Este bloco, depois de talhado, pode ajudar a fazer o túmulo dele.

ADAUTO

> Quando chegar o momento de recomeçar eu saberei!

EZEQUIEL

> Até parece que, de repente, o martelo se tornou maldito para você!

ADAUTO

> Que é que você quer insinuar?

EZEQUIEL

> Nada! Quero apenas que o trabalho recomece.

ADAUTO

>Você está mentindo! O trabalho da Pedra nunca lhe importou!

EZEQUIEL

>Você está enganado, eu sempre amei a Pedra! É contra ela que castigamos nosso sangue!

JOANA

>Você está escondendo alguma coisa. O que é?

EZEQUIEL

>Pergunte a Adauto, ele é quem sabe as histórias que aconteceram aqui. Histórias sobre o Sol e a Morte, mas acontecidas neste mundo povoado de sombras!

JOANA vai saindo.

ADAUTO

>Joana!

JOANA

>Não, deixe-me!

Sai.

ADAUTO

>Você pensa que sabe alguma coisa! Mas um homem como você nunca entenderá nada! Morreu, não morreu, matou, não matou... Então é somente isso?

EZEQUIEL

De que você está falando?

ADAUTO

E o Sol? Também ele se põe, trazendo a noite, que se abate sobre nós com todas as suas sombras. E que fazem todos? Dormem! A Terra parece cheia de pessoas mortas!

EZEQUIEL

Era melhor que todos dormissem. Principalmente quando a noite ainda não chegou e a Lua não apareceu.

ADAUTO

Que adiantam a Lua e a Noite quando temos o corpo atravessado por punhais de pedra?

EZEQUIEL

Em tais momentos, punhais de pedra atravessam os corpos!

ADAUTO

O sangue de um procura completar-se com o sangue do outro.

EZEQUIEL

É então que castigamos o nosso sangue. Foi assim, não foi? Você castigou seu sangue no dele, não foi?

ADAUTO

(*Agarrando-o pelo pescoço.*) Não! Eu mato você!

Ezequiel

    Não me mate! Não me mate, pelo amor de Deus!

Adauto

    Então você tem medo da morte...

Ezequiel

    Não posso morrer antes de achar meu Castelo!

Coro

    (*Recitando.*) "Nossa alma é um Castelo de puríssimo cristal, feito de muitas Moradas e em cujo centro diz Deus que encontra suas deleitações."

Cícero

    (*Recitando.*) "Meus filhos e minhas filhas: que tal lhes parece será a importância de tal Morada, na qual um Senhor tão poderoso se deleita?"

Adauto

    Um Castelo!

Ezequiel

    Sim, mas ao tentar achá-lo fui impedido. Mas hei de me vingar. Hei de lutar contra a sombra até que a vingança erga as asas acima da Pedra!

Adauto

    Isso era o que eu pensava. Mas o Sol cegou meus olhos!

Ezequiel

    Não tenho medo da cegueira! E se algum caminho me for apontado, eu o seguirei!

ADAUTO

>Mesmo que a Morte esteja no fim?

EZEQUIEL

>Principalmente se ela estiver no fim!

Entra ELIAS.

ELIAS

>Por que não está trabalhando?

ADAUTO

>Porque não posso!

ELIAS

>Não pode? Por quê? (*Olha em torno.*) Tudo parece diferente, agora! Onde está Joana? E onde estava você?

ADAUTO

>Velando o corpo de Abel, como você mandou!

ELIAS

>É preciso deixar de lado o que aconteceu.

ADAUTO

>Ali, com meu irmão, é como se o trabalho continuasse. Ele há de nos mostrar novas forças que a Pedra esconde!

ELIAS

>É preciso terminar o Anjo. Tudo mais deve ser abandonado.

EZEQUIEL

>A morte pode estar até nas pedras.

ELIAS

>A morte? De que você está falando?

EZEQUIEL

>(*Apontando* ADAUTO.) Ele sabe melhor do que eu!

ELIAS

>Você não tem nada a ver com isso. Meu filho está no lugar que escolheu. O outro repousa sobre a pedra que não pôde abandonar. E é só! Amanhã, o trabalho recomeça!

Sai EZEQUIEL.

ADAUTO

>(*A custo.*) Meu Pai, espere mais algum tempo! Não posso cortar a pedra, agora!

ELIAS

>Por quê? As pedras não mudaram nada!

ADAUTO

>Mudaram, meu Pai! Elas parecem feridas! Estão tocadas pela Morte!

ELIAS

>Não diga isso! Nossa salvação depende delas!

ADAUTO

>Não existe salvação para mim! Olhe-me, meu Pai!

Abre os braços diante de ELIAS, que de repente recua, como quando viu o corpo de ABEL.

ELIAS

(*A um tempo compadecido e aterrado.*) Não, não tome esse caminho, senão nos perderá a todos!

ADAUTO

Se eu me perder, irei sozinho, meu Pai!

ELIAS

Tudo cairá de novo, e só restarão ruínas!

ADAUTO

O que eu tenho é pouco, não resta mais nada para cair!

ELIAS

E os outros? Você tem que pensar em todos nós. Não podemos vacilar, meu filho. Os poderosos estão nos odiando, e até o Povo agora está dividido. Um dia, esse ódio atingirá nosso trabalho. Não temos o direito de fraquejar. Temos de cumprir nosso dever até o fim: até que a Morte nos seja dada, como as pedras o foram certa vez.

ADAUTO

E o que é que eu posso fazer, meu Pai? Estou como cego, não vejo mais nada!

ELIAS

> A fé de um ajuda o outro! Na hora em que seu irmão morreu, você disse alguma coisa que me ajudou: disse que iria construir o Anjo que viu junto às Pedras. Comece este trabalho novo. Deixe que nós, mais velhos, façamos o outro, que é mais nosso do que seu!

ADAUTO

> É tarde, já, meu Pai!

ELIAS

> Não, não é tarde: existe toda uma vida diante de você!

ADAUTO

> Não tenho mais direito a ela!

ELIAS

> Por quê? Você fala como se tivesse cometido um pecado... O que foi?

ADAUTO

> Você é um homem sem pecado; não sabe o que é uma pessoa viver com os olhos cheios de sombra! É por isso que teve o direito de se lançar nesta prisão e de jogar todos nós entre estas Pedras!

ELIAS

> Não diga mais nada: foi nesse tom que seu irmão falou, antes de cair e morrer!

ADAUTO

> Não tenho medo da morte, meu Pai. Ela já sangrou muito tempo dentro de mim!

ELIAS

>Você não vê que está caminhando para a perdição? Pegue-se de novo com as pedras!

ADAUTO

>Não. Bento disse que foram as pedras que mataram meu irmão.

ELIAS

>Não acredite no que Bento diz: foi seu irmão, mesmo, quem se matou, ao desafiar as Pedras.

ADAUTO

>Você não pode saber. Seus olhos nunca foram como os de Abel! Os meus, sim!

ELIAS

>Que têm eles, seus olhos?

ADAUTO

>Nunca foram perfeitos. Procurei completá-los: mas o que fiz foi destruir a pouca claridade que me restava.

ELIAS

>Você precisa de ajuda!

ADAUTO

>Não, solte-me! Não preciso de ajuda de ninguém, não quero mais nada com este mundo de sombras. Meu mundo está lá, com meu irmão, na pedra!

Sai. ELIAS, só, aperta a fronte com as duas mãos. Entra EZEQUIEL.

ELIAS

Você, afinal! Queria falar-lhe: o que é que você anda tecendo?

EZEQUIEL

Nada!

ELIAS

Está acontecendo alguma coisa aqui! Você andou contando qualquer coisa a meus filhos!

EZEQUIEL

Não, você está enganado!

ELIAS

O passado está morto!

EZEQUIEL

É verdade, o nosso passado morreu!

ELIAS

E, se o passado está morto, não tente lembrar nada a ninguém — e muito menos a seu irmão!

EZEQUIEL

Não quero que Bento se recorde de nada!

ELIAS

É melhor para ele e para você também! Estou velho, e sinto quando os escombros se aproximam. Hei de fazer tudo para evitá-los. Não recuo nem diante da morte!

EZEQUIEL

Não é preciso matar-me: e Adauto sabe disso. Quis estrangular-me, aqui!

ELIAS

>Por quê?

EZEQUIEL

>Não sei!

ELIAS

>São as primeiras ruínas.

EZEQUIEL

>Mas ele não foi adiante. Pedi-lhe que me deixasse continuar a busca do Castelo, como ele com seu Anjo.

ELIAS

>Deixe meu filho em paz. Não lhe basta o que estou vivendo?

EZEQUIEL

>Basta, sim: o passado está morto! Tenho meu sonho e também hei de lutar por ele. Pode ter certeza disso! Quanto ao Castelo, não sei se terei forças: não tenho seu sangue, nem o de seu filho.

ELIAS

>O sangue de meus filhos! Parece que eles herdaram a maldição do meu!

EZEQUIEL

>Não seja ingrato: foi graças a seu sangue que você pôde sepultar as coisas que passaram!

ELIAS

Terão passado? Assim eu esperava. Mas agora tudo parece voltar.

Bento aparece, no limiar da cena.

EZEQUIEL

(*Correndo para ele.*) Que faz você aqui?

BENTO

É preciso que eu me lembre de tudo... Não foi o que você disse?

ELIAS

(*Para EZEQUIEL.*) Eu sabia que você tinha falado!

BENTO

Algum dia, eu me lembrarei. Então você me levará para longe!

ELIAS

Você vai me pagar, Ezequiel! Agora, saia daqui com ele!

Sai EZEQUIEL conduzindo BENTO. ADAUTO sai do lugar onde estava escondido por trás das esculturas.

ADAUTO

Meu Pai...

ELIAS

Você, aqui!

ADAUTO

    Sim, estava escondido. Queria ouvir o que você ia conversar com Ezequiel.

ELIAS

    Você não devia ter feito isso!

ADAUTO

    Bento e Ezequiel são irmãos. E agora tenho que saber o resto, meu pai. Senão, seguirei meu irmão para o lugar que ele tinha escolhido.

ELIAS

    A morte, a terra!

ADAUTO

    Ouvi você falar no passado morto. Que passado é esse, meu pai?

ELIAS

    Não posso lhe dizer nada, preciso defendê-lo contra ele. Já vivi muito tempo, meu filho, e sei quando as construções estão desmoronando. O que aparece, são ruínas e destroços.

ADAUTO

    Ruínas e destroços... E o que vai nos restar?

ELIAS

    Não quero saber. Hei de restituir-lhe os olhos que você perdeu!

ADAUTO

    Não existe nenhuma esperança, meus olhos estão presos ao lugar em que meu irmão repousa.

ELIAS

    Alguém pode lhe mostrar um caminho.

ADAUTO

    Quem?

ELIAS

    Joana! Quanto a isso, posso ceder e, com ela, você pode recomeçar o trabalho. Não estamos vencidos. Joana! Joana!

JOANA

    (*Entrando.*) Que há?

ELIAS

    Joana, é preciso salvar-nos!

JOANA

    A destruição já se abateu sobre nós há muito tempo.

ELIAS

    É preciso esquecer aquele que morreu!

JOANA

    Nenhum de nós poderá esquecê-lo!

ELIAS

    Você deve tentar isso com Adauto! Só assim o trabalho poderá continuar. É a última coisa que lhe peço!

Sai.

ADAUTO

    O que é que você responde a isso, Joana?

JOANA

    Que posso responder agora? Perdi a comunicação com as coisas do mundo!

ADAUTO

    Não vejo mais nada, só você pode me guiar na sombra.

JOANA

    Eu só vejo o caminho da terra.

ADAUTO

    E eu, o da Pedra. Foi o caminho que meu irmão seguiu!

JOANA

    Não, eu vou sepultá-lo na terra dos baixios, consinta seu Pai ou não!

ADAUTO

    Então, a esperança acabou, para mim. Pensei que você era a única pessoa capaz de libertar a mim e a meu Pai.

JOANA

    Seu Pai?

ADAUTO

    Sim, ele disse que só você podia salvar-nos, seguindo nós o mesmo caminho!

JOANA

Seu Pai não sabe o que nos impede de seguirmos juntos! Aquilo que me marcou para sempre! Seu Pai não sabe que eu fui sua antes de pertencer a seu irmão!

ADAUTO

Não fale mais, pelo amor que nos uniu!

JOANA

Amor! Que importância tinha isso, diante de Abel? Meu amor pertenceu sempre a você...

ADAUTO

Então você ainda me ama?

JOANA

Isso não importa mais. Estou cega, como você.

ADAUTO

E não vê as chamas que me cegam? Que me cegaram de todo, naquele momento? A Lua entrava no meu sangue, e a voz não saía de meus ouvidos: "É preciso castigar o seu sangue!" Ele estava com o martelo, trabalhando a pedra. Então, empunhei o outro e castiguei meu sangue!

JOANA

Você o matou!

ADAUTO

Não sei, como posso saber? O que eu sei é que a voz do sangue de meu irmão clama por mim, desde a terra!

JOANA

> Era o que eu temia há muito tempo! Estou perdida!

ADAUTO

> Não, somente eu estou perdido! Você ainda pode lutar, por você e por mim!

JOANA

> Não tenho mais direito a isso, a morte que você cometeu foi obra minha, também. Você o matou por causa da minha alma e do meu corpo, que sempre lhe pertenceu. Não existe mais caminho para nós.

ADAUTO

> Talvez nos reste um, Joana: o da terra, que meu irmão nos apontou.

JOANA

> Nós perdemos esse caminho no momento em que matamos Abel.

ADAUTO

> Podemos reconquistá-lo, lutando contra tudo e mostrando a coragem que meu Pai teve ao escolher o dele.

JOANA

> Será preciso enfrentar seu Pai e contar-lhe tudo.

ADAUTO

> É o que vou fazer. Será a última dádiva de meu irmão a seus assassinos.

JOANA

> Vamos, então! E que o Céu se compadeça de nós, nem que seja por uma vez!

Saem.

CÍCERO

> (*Recitando.*) "Ainda há esperança para quem está ligado aos vivos, pois um Cão vivo vale mais do que um Jaguar morto."

CORO

> (*Recitando.*) "Vai, come teu pão com alegria e bebe teu vinho, porque Deus aceitará tuas obras. Que tuas vestes sejam brancas em todo tempo e nunca falte perfume sobre tua cabeça."

CÍCERO

> (*Recitando.*) "Desfruta a vida com a mulher amada em todos os dias que Deus te concede, porque esta é a porção a que tens direito, na vida e no trabalho com que te fadigas debaixo do Sol."

Quando CÍCERO pronuncia aquela sua primeira fala — retirada do Livro do Eclesiastes —, o Sol se põe e cai a noite sertaneja, "sem crepúsculo, de chofre — um salto da treva por cima de uma franja vermelha do poente", como disse Euclydes da Cunha. Depois, aparece a Lua cheia, grande e avermelhada como o Sol poente, e que, ao aclarar um pouco a cena, revela JOANA e ADAUTO que, na penumbra, parecem estar chegando ao final de mútuas confissões.

JOANA

E foi assim, de queda em queda, que chegamos até aquele momento de morte e maldição!

ADAUTO

A culpa foi minha, Joana!

JOANA

Não, foi minha e sua. Se eu não tivesse dado meu corpo a ele, como dei a você, a morte não teria tocado aos dois, com suas asas de pedra.

ADAUTO

Então, não adianta. Por um momento, pensei que podia recomeçar tudo. Mas, com o crime que cometi, não tenho direito de seguir o caminho da terra. Sombras, sombras... Sentir que elas vão envolvendo minha alma, enquanto o corpo sobrevive... Vá você para a terra, Joana! Se eu puder, um dia irei encontrá-la.

JOANA

Sozinha, nunca poderei!

ADAUTO

Não posso mais ajudá-la. Quis me colocar à altura da pedra, mas o barro habitava meu sangue.

Entra Ezequiel, correndo.

EZEQUIEL

(*Para Adauto.*) Venha me ajudar, Bento escapou de novo!

É interrompido pela entrada de Bento que, ao avistar o irmão, corre para ele e começa a estrangulá-lo.

BENTO

Você, traidor!

ADAUTO

Não faça isso, é seu irmão!

BENTO

Homem de pedra! Vou me vingar!

Ajudado por Adauto, Ezequiel consegue libertar-se.

JOANA

Quem foi que traiu você?

BENTO

(*Apontando Ezequiel.*) Ele!

EZEQUIEL

Você está enganado! Olhe bem para mim!

BENTO

> Não sei, não me lembro bem, não me lembro mais de nada!

ADAUTO

> Que foi que você lhe disse?

EZEQUIEL

> Você saberá quando for conveniente.

ADAUTO

> Joana, leve Bento daqui! Preciso falar com Ezequiel.

JOANA toma o braço de BENTO, que lhe obedece docilmente. Saem os dois.

EZEQUIEL

> Quando chegar o momento, você talvez entenda até o segredo das pedras.

ADAUTO

> Não me importa mais esse segredo, não quero mais nada com estas pedras!

EZEQUIEL

> Você viverá com elas até morrer!

ADAUTO

> Não, hoje mesmo sairei daqui!

EZEQUIEL

> Para os baixios? É o mesmo caminho que seu irmão desejava e que o levou para a morte. Além disso, as

pedras estão cravadas no seu sangue e você não tem força contra seu passado!

ADAUTO

Que é que você quer dizer?

EZEQUIEL

Você sabe melhor do que eu.

ADAUTO

Pois tente impedir minha saída. Sairemos daqui, eu e Joana. Hei de me libertar dos fantasmas que me perseguem!

EZEQUIEL

Então existe um fantasma...

ADAUTO

Mesmo que exista, você nada poderá fazer, porque é covarde!

EZEQUIEL

Não sou eu o único a quem falta coragem, aqui!

ADAUTO

Pois então impeça que eu leve sua filha comigo!

EZEQUIEL

Existe alguém que fará isso por mim!

ADAUTO

Meu Pai? Eu mesmo contarei tudo a ele!

EZEQUIEL

Você fala com muita segurança! Mas suas visões irão com você.

ADAUTO

O caminho da terra será uma herança de meu irmão.

EZEQUIEL

Seu irmão já foi castigado pelas pedras.

ADAUTO

Não, o castigado fui eu. Lá na terra, com Joana, talvez ainda receba dele a parte da minha alma que vivia prisioneira da dele.

Sai. Entra ELIAS.

ELIAS

Ouvi vozes aqui! O que é que está acontecendo?

EZEQUIEL

Está se preparando outra fuga, aqui! Seu filho e Joana!

ELIAS

É você que está por trás de tudo isso, não é? Se quer se vingar, vingue-se de mim: meus filhos não tiveram culpa!

EZEQUIEL

Não fui eu: Joana e Adauto resolveram tudo sozinhos! Vão para os baixios!

ELIAS

O mesmo caminho do outro! É Abel que os arrasta!

EZEQUIEL

É preciso impedi-los!

ELIAS

> Que fazer quando os escombros caem sobre nós? Talvez nossa única esperança esteja em recomeçar a nova escultura!

Entra ADAUTO, e ouve a última fala do Pai.

ADAUTO

> É verdade, meu Pai! Mas você terá que terminar o Anjo sozinho! Não posso mais ficar aqui, nem ajudá-lo!

ELIAS

> Você está falando como seu irmão. O caminho escolhido por ele tinha a morte no fim!

ADAUTO

> Que sabem vocês todos sobre a morte dele?

EZEQUIEL

> Foi o fogo do céu que o castigou! E uma coisa eu sei com segurança: ontem à noite, Joana se tornou a mulher do seu irmão.

ELIAS

> Joana amava Abel!

ADAUTO

> Não, amava e ama a mim! Eu é que fiquei cego, porque a morte estava no meu sangue.

ELIAS

> Não, a morte não!

ADAUTO

> A morte sim, meu Pai! Sem que eu pudesse resistir, via meu corpo encher-se de fogo, de sangue que somente a Pedra podia libertar!

ELIAS

> Foi você quem matou seu irmão!

ADAUTO

> Matei a ele e a mim também! Antes que a pedra libertasse seu sangue, a morte dele já estava consumada em mim!

ELIAS

> Meu filho! Meu filho!

ADAUTO

> Quando acordei do mau sonho, meu irmão estava na pedra! Cego, sentindo que morria também naquele mundo de sombras, só me restava seguir o caminho que ele apontou. E hei de segui-lo.

ELIAS

> E Joana?

ADAUTO

> Quer seguir-me para o lugar onde estará com Abel.

ELIAS

> Então ficará aqui.

ADAUTO

> Não, meu Pai. Levaremos meu irmão conosco, para a terra onde ele sempre quis viver.

EZEQUIEL

(*Para ELIAS.*) Agora você vai ficar só! E onde arranjará coragem para o trabalho da Pedra?

ADAUTO

O criminoso sou eu! Meu Pai tem condições de continuar. A morte não o tocou nem no corpo nem na alma!

EZEQUIEL

É verdade, seu Pai tem a pureza necessária para isso! Tem o direito de continuar esculpindo o Anjo! (*Para ELIAS, com desprezo.*) Conte a verdade a seu filho!

ADAUTO

Que é que você está dizendo?

EZEQUIEL

Pergunte a seu Pai! Ele lhe contará quem é sua Mãe e como ele a conheceu. Eu vou sair, agora: meu dia chegou!

Sai.

ELIAS

Você pode ir com Joana, meu filho. Não tenho o direito de retê-lo. Paguei meu orgulho com a morte de seu irmão, que foi sua, de Joana e minha também!

ADAUTO

Sua, por quê?

ELIAS

    Eu pensava que aqui podia expiar meus crimes, para que a morte não atingisse meus filhos. Mas ninguém pode escapar a certas coisas! Minha culpa reviveu e foi ela que matou meu filho!

ADAUTO

    E o Anjo? Não pode ser mais esculpido?

ELIAS

    Nunca pôde, só agora é que eu sei! Era de pedra, e os homens foram feitos de barro!

ADAUTO

    Você falou em crime: foi a morte, meu Pai? Você matou alguém?

ELIAS

    No corpo, não. Ainda assim, posso dizer que sou um assassino! Matei três pessoas! Bento e Ezequiel eram meus melhores amigos. E sua Mãe...

ADAUTO

    Que tem minha Mãe a ver com isso?

ELIAS

    Sua Mãe era mulher de Ezequiel. Como pôde suceder aquilo? Não posso nem lhe dizer como aconteceu. Sei apenas que o corpo dela era como um ninho de sombra, e eu precisava de descanso. Quando despertei da primeira vez, tudo desmoronara. Nasceram vocês e viemos para cá. Ela voltou para Ezequiel, e todos nós, juntos, procurávamos expiar o que acontecera. Joana já nasceu aqui. Mas um dia sua Mãe nos abandonou e nenhum de nós a viu nunca mais.

Adauto

E você obrigou os dois irmãos a virem para cá?

Elias

Obrigar, não. Mas convenci os dois a acompanhar-me. Eu destruíra a nossa vida, e procurei construir outra. Castigando-me, procurei pagar a minha culpa, e mostrei a eles que somente juntos isto seria possível. Por isso, encerrei-me aqui, nesta vida que terminou perturbando todos nós, e Bento antes de todos.

Adauto

E o Anjo? Você não amava as pedras?

Elias

Não importava as coisas que eu amava, a terra e as Cabras. Não tinha mais direito a elas, e precisava do castigo! O crime já fora cometido, só era possível agora tentar repará-lo. Tentei consagrar Bento e Ezequiel à vida que fora apontada: pelo Anjo, queria que reencontrássemos um sentido à nossa vida. Mas falhei em tudo, até com meus filhos! Não me resta mais nada! Agora, é esperar que o castigo venha. Com toda razão, serei castigado, e é por isso mesmo que devo ficar. Vá embora, com Joana e os outros, Cícero pode conseguir isso com a Polícia. Eu ficarei!

ADAUTO

(*Abraçando-o.*) Eu não vou mais, meu Pai. Ficarei aqui com você! Talvez um novo caminho nos seja apontado. Vamos sair daqui!

ELIAS

Para onde?

ADAUTO

Para junto das duas Pedras, onde estamos montando o Anjo. Que a Polícia, se vier, nos encontre trabalhando nele! Talvez um dia, terminado o Anjo, nós todos possamos chegar, redimidos, à terra dos baixios.

Sai, amparando ELIAS. EZEQUIEL *sai da sombra em que se tinha escondido, ao mesmo tempo em que* JOANA *entra em cena.*

EZEQUIEL

Acabaram-se as esperanças, Joana!

JOANA

Pelo contrário, agora tudo vai recomeçar! Vou para a terra dos baixios!

EZEQUIEL

Sozinha?

JOANA

Não, Adauto irá comigo.

EZEQUIEL

>Ele não vai, Joana! Ouvi Adauto prometer ao Pai que ficaria com ele aqui.

JOANA

>Não acredito, você está mentindo!

EZEQUIEL

>Juro-lhe que não! A influência do Pai sobre ele é muito grande! Foi por causa de Elias que ele matou Abel! Adauto sentia ciúme, e se o Pai não o tivesse convencido de que a Pedra era sagrada, a morte não teria se abatido sobre os dois filhos! Só existe um caminho para Adauto, agora: aquele que o irmão lhe apontou. Mas ele está retido pela promessa que fez ao Pai! É preciso que alguém tenha a coragem de libertá-lo.

JOANA

>E se eu tivesse esta coragem?

EZEQUIEL

>Então, tudo se resolveria. O Pai criou um passado cheio de ruínas e sacrificou os dois filhos a ele! Os dois estão, agora, junto às Pedras, novamente aprisionados pelo Anjo: vá lá, e liberte o Filho daquele Pai cruel!

Sai. Entra ELIAS.

ELIAS

> Estava à sua procura, Joana: queria anunciar-lhe a decisão de meu filho!

JOANA

> Ele fica?

ELIAS

> Fica, e você deve ficar também!

JOANA

> Por quê?

ELIAS

> Nós decidimos assim.

JOANA

> Nós... E Abel, também queria ficar? Agora ele está morto, e por culpa sua!

ELIAS

> É verdade, Joana!

JOANA

> Por sua culpa, as pedras o mataram: as pedras que ele odiava tanto. Agora, chegou a vez do outro, aquele que possui o meu amor! As pedras querem cegá-lo também! Eu vou sair daqui! E Adauto irá comigo!

ELIAS

> O sangue das pedras irá com vocês!

JOANA

> Estamos unidos pelo crime que cometemos juntos.

ELIAS

Você não se libertará saindo daqui!

JOANA

Não, mas posso libertar Adauto. Quanto a mim, um dia ele me libertará, se puder. Quanto a você, a Pedra nunca o deixará.

ELIAS

É a esperança que me resta: o sacrifício que ela representa! E quando a morte me for concedida, é sobre a Pedra que quero repousar.

JOANA

E se a morte vier pela Pedra?

ELIAS

Tudo o que eu consegui construir até agora foi pela Pedra: a morte também virá por meio dela.

Sai. JOANA empunha o martelo e segue seus passos. Ouve-se um grito e JOANA reaparece, olhando fixamente o martelo.

JOANA

Morte! Sangue sobre a pedra!

Solta o martelo no chão, como se estivesse horrorizada com o que fez. Entra ADAUTO, transtornado.

ADAUTO

Joana, que tem você? Senti as asas da Morte tocarem no meu corpo! É a morte de meu irmão: parecia que eu a estava repetindo!

JOANA

Você pode livrar-se destes pesadelos, agora. Eu o libertei. Quebrei as cadeias que tinham você aprisionado. Vá embora e um dia, se puder, venha buscar-me!

ADAUTO

Não, é preciso ficar e esperar.

JOANA

Ninguém mais o retém aqui!

ADAUTO

Não havia ninguém me retendo, Joana. Eu mesmo decidi ficar, procurando meu caminho pelo sacrifício.

JOANA

Então a morte dele foi inútil!

ADAUTO

A morte? De que morte você está falando?

JOANA

Eu matei seu Pai, para libertá-lo destas Pedras amaldiçoadas. Ele era mau! Você matou seu irmão por culpa dele!

ADAUTO

Não, Joana, matei por minha própria culpa. E meu Pai estava apenas tentando pagar aqui o crime de sua juventude. Quanto a mim, pensei em ficar para também expiar o meu.

JOANA

Então, é o fim. Não falo assim por causa da Polícia. É que agora acabaram meus sonhos, os sonhos do tempo em que me entreguei a você. Depois, veio o outro. Mas a minha natureza era de pedra, como a sua, e os sonhos foram esmagados por ela.

Entram EZEQUIEL e BENTO, vindos do lugar onde jaz o corpo de ELIAS.

EZEQUIEL

Morto! Morto! Você está vingado, meu irmão, nós estamos vingados. Estas mortes, nós dois as causamos, como vingança!

ADAUTO

Você está enganado: a morte de meu Pai não foi obra sua. Nem a de meu irmão: foram as Pedras que os despedaçaram!

EZEQUIEL

Eu sei! Mas a Polícia saberá também? Eu vou-me embora para os baixios, com meu irmão. Não quero ser morto por causa de vocês; vou contar à Polícia que você matou seu irmão e esta mulher matou o Pai dela!

JOANA

    Meu Pai?

EZEQUIEL

    Sim, você era filha dele! Elias nunca soube disso, e eu escondi o segredo de todos para ver até onde ia o pecado. Agora a Polícia está vindo, e vocês também serão castigados. Adeus.

Sai com BENTO.

ADAUTO

    (*Ouvindo o tumulto que se aproxima.*) É a morte que se aproxima, Joana.

JOANA

    Sim, é talvez a nossa morte. Fique comigo... meu irmão!

ADAUTO

    Nós dois estamos unidos pelo pecado e pela morte: pois fiquemos juntos diante dela, já que nada mais temos a dar um ao outro!

JOANA

    Não, ainda nos resta o sacrifício.

ADAUTO

    Não temos mais tempo, Joana. Está ouvindo? É o castigo que chega!

JOANA

Nossa expiação talvez esteja nele. Quem sabe se o castigo não é o sacrifício que estávamos procurando?

ADAUTO

Sim, Joana, quem sabe? Talvez a expiação seja o castigo que vem chegando. E se aceitarmos recebê-lo sem orgulho, talvez nos seja concedido o direito à piedade. Seremos libertados, afinal. Que venha o castigo!

Saem abraçados.

CÍCERO

(*Recitando.*) "Aqueles que cultivam a iniquidade, aqueles que semeiam a miséria e a injustiça, estes é que serão castigados."

COREUTA

(*Recitando.*) "Ao sopro de Deus perecem, são consumidos pelo sopro de sua cólera!"

CÍCERO

(*Recitando.*) "Serão quebrados o rugido do Leão e a voz do Leopardo. Morre o Leão por falta de presas e as crias da Leoa se dispersam."

CORO

(*Recitando.*) "Quanto a ti, farás aliança com estas Pedras e as Bestas selvagens estarão em paz contigo."

CÍCERO

(*Recitando.*) "Mutilado, mas quanto movimento em mim procura ordem? O que perdi se multiplica, e uma pobreza feita de pérolas salva o tempo, resgata a noite."

COREUTA

(*Cantando.*)

"Não direi de Joana Temerária
sequer as culpas mínimas
e os padecimentos menores."

CÍCERO

(*Recitando.*)

"Direi que ela era semáfora:
daí as grandes perturbações
nas rotas de Palhano."

COREUTA

(*Cantando.*)

"De seu secreto pendor
para vestidos vermelhos
e alvas combinações
surgiu-lhe o primeiro amante.
E foi uma consumação:
o mangue fedia a um mar afogado
e os homens eram feras castigadas."

CORO

(*Cantando.*)

"Para o amante houve um cachorro doido."

CÍCERO

(*Recitando.*)

"Hoje, Joana Temerária
é uma coisa assim, sem eco,
como um trapézio
ou uma figura do amanhecer."

CORO

(*Cantando.*)

"Cordeiro de Deus, que tirais o pecado do mundo,
tende misericórdia de nós."

*P*ANO.

Recife, 20 de novembro de 1948
a 6 de março de 1949.
Reescrita em maio de 2003.

Nota Biobibliográfica
Carlos Newton Júnior

Poeta, dramaturgo, romancista, ensaísta e artista plástico, Ariano Vilar Suassuna nasceu na cidade da Paraíba (hoje João Pessoa), capital do estado da Paraíba, em 16 de junho de 1927. Filho de João Urbano Suassuna e Rita de Cássia Vilar Suassuna, nasceu no Palácio do Governo, pois seu pai exercia, à época, mandato de "Presidente", o que correspondia ao atual cargo de Governador. Terminado seu mandato, em 1928, João Suassuna volta ao seu lugar de origem, o sertão, fixando-se na fazenda "Acauhan", no atual município de Aparecida. Em 9 de outubro de 1930, quando Ariano contava apenas três anos de idade, João Suassuna, então Deputado Federal, é assassinado no Rio de Janeiro, vítima das cruentas lutas políticas que ensanguentaram a Paraíba, durante a Revolução de 30. É no sertão da Paraíba que Ariano passa boa parte da sua infância, primeiro na "Acauhan", depois no município de Taperoá, onde irá frequentar escola pela primeira vez e entrará em contato com a arte e os espetáculos populares do Nordeste: a cantoria de viola, o mamulengo, a literatura de cordel etc. A partir de 1942, sua família fixa-se no Recife, onde Ariano iniciará a sua vida literária, com a publicação do poema "Noturno", no *Jornal do Commercio*, a 7 de outubro de 1945. Ao ingressar na Faculdade de Direito do Recife, em 1946, liga-se ao grupo de estudantes que retoma, sob a liderança de Hermilo Borba Filho, o Teatro do Estudante de Pernambuco (TEP). Em 1947, escreve sua primeira peça de teatro, a tragédia *Uma Mulher Vestida de Sol*. No ano seguinte, estreia em palco com outra tragédia, *Cantam as Harpas de Sião*, anos depois reescrita sob o título *O Desertor de Princesa* (1958). Ainda estudante de Direito, escreve mais duas peças, *Os Homens de Barro* (1949) e o *Auto de João da Cruz* (1950). Em 1951, já formado, e novamente em Taperoá, para onde vai a fim de curar-se do pulmão, escreve e encena o entremez para mamulengos *Torturas de um Coração*. Esta peça em um ato, seu primeiro trabalho ligado ao cômico, foi escrita e encenada para receber a sua então noiva Zélia de Andrade Lima e alguns familiares seus que o foram visitar. Após *Torturas*, escreve mais uma tragédia, *O Arco Desolado* (1952), para então dedicar-se às comédias que o deixaram famoso: *Auto da Compadecida* (1955), *O Casamento Suspeitoso* (1957), *O Santo e a Porca* (1957), *A Pena e a Lei* (1959) e *Farsa da Boa Preguiça* (1960). A partir da encenação, no Rio de Janeiro, do *Auto da Compadecida*, em janeiro de 1957, durante o "Primeiro Festival de Amadores Nacionais", Suassuna é alçado à condição de um dos nossos maiores dramaturgos. Encenado em diversos países, o *Auto da Compadecida* encontra-se editado em vários idiomas, entre os quais o alemão, o francês, o inglês, o espanhol e o italiano, e recebeu, até hoje, três versões para o cinema. Em 1956, escreve o seu primeiro romance, *A História do Amor de Fernando e Isaura*, que permanecerá inédito até 1994.

Também em 1956, inicia carreira docente na Universidade do Recife (depois Universidade Federal de Pernambuco), onde irá lecionar diversas disciplinas ligadas à arte e à cultura até aposentar-se, em 1989. Em 1960, forma-se em Filosofia pela Universidade Católica de Pernambuco. A 18 de outubro de 1970, na condição de diretor do Departamento de Extensão Cultural da Universidade Federal de Pernambuco, lança oficialmente, no Recife, o Movimento Armorial, por ele idealizado para realizar uma arte brasileira erudita a partir da cultura popular. Passa, então, a ser um grande incentivador de jovens talentos, nos mais diversos campos da arte, fundando grupos de música, dança e teatro, atividade que desenvolverá em paralelo ao seu trabalho de escritor e professor, ministrando aulas na universidade e "aulas-espetáculo" por todo o país, sobretudo nos períodos em que ocupa cargos públicos na área da cultura, à frente da Secretaria de Educação e Cultura do Recife (1975-1978) e, em duas ocasiões, da Secretaria de Cultura de Pernambuco (1995-1998 / 2007-2010). Em 1971, é publicado o *Romance d'A Pedra do Reino e o Príncipe do Sangue do Vai-e-Volta*, um longo romance escrito entre 1958 e 1970, e cuja continuação, a *História d'O Rei Degolado nas Caatingas do Sertão — Ao Sol da Onça Caetana*, sairá em livro em 1977. Na primeira metade da década de 1980, lança dois álbuns de "iluminogravuras", pranchas em que procura integrar seu trabalho de poeta ao de artista plástico, contendo sonetos manuscritos e ilustrados, num processo que associa a gravura em offset à pintura sobre papel. Em 1987, com *As Conchambranças de Quaderna*, volta a escrever para teatro, levando ao palco Pedro Dinis Quaderna, o mesmo personagem do seu *Romance d'A Pedra do Reino*. Em 1990, toma posse na Academia Brasileira de Letras, ingressando, depois, nas academias de letras dos estados de Pernambuco (1993) e da Paraíba (2000). Faleceu no Recife, a 23 de julho de 2014, aos 87 anos, pouco tempo depois de concluir um romance ao qual vinha se dedicando havia mais de vinte anos, o *Romance de Dom Pantero no Palco dos Pecadores*.

Direção editorial
Daniele Cajueiro

Editora responsável
Janaína Senna

Produção editorial
Adriana Torres
Laiane Flores
Juliana Borel

Fixação de texto
Carlos Newton Júnior

Revisão
Bárbara Anaissi

Direção de arte
Manuel Dantas Suassuna

Reprodução fotográfica das ilustrações
Leo Caldas

Capa e projeto gráfico
Ricardo Gouveia de Melo

Diagramação
Alfredo Rodrigues

Este livro foi impresso em 2023,
pela Vozes, para a Nova Fronteira.